CW00953014

Petits caprices et grosses colères

Gérer les crises de son enfant

Groupe Eyrolles
61, bd Saint-Germain
75240 Paris Cedex 05

www.editions-eyrolles.com

Conception (intérieur et première de couverture) : Caleïdo Éditions
Mise en pages : PCA

Le Code de la propriété intellectuelle du 1er juillet 1992 interdit en effet
expressément la photocopie à usage collectif sans autorisation des ayants
droit. Or, cette pratique s'est généralisée notamment dans l'enseignement,
provoquant une baisse brutale des achats de livres, au point que la possibilité même pour les auteurs de créer des œuvres nouvelles et de les faire
éditer correctement est aujourd'hui menacée.
En application de la loi du 11 mars 1957, il est interdit de reproduire intégra-
lement ou partiellement le présent ouvrage, sur quelque support que ce soit, sans autorisation de l'éditeur ou du Centre français d'exploitation du droit de copie, 20, rue des Grands-
Augustins, 75006 Paris.

© Groupe Eyrolles, 2012
ISBN : 978-2-212-54950-8

Didier Pleux

Jean-Baptiste Magne

Petits caprices et grosses colères

Gérer les crises de son enfant

Dans la même collection :

George Gisèle, *J'en ai marre de crier !*
Haurat Laurence, *C'est l'enfer à table !*

Didier Pleux

Psychologue-psychothérapeute, Docteur en psychologie du développement, directeur de l'Institut français de thérapie cognitive, Didier Pleux est l'auteur de nombreux ouvrages sur l'éducation, dont *De l'enfant roi à l'enfant tyran, Manuel d'éducation à l'usage des parents* et *Un enfant heureux*, aux éditions Odile Jacob.

Jean-Baptiste Magne

Journaliste pigiste, il travaille régulièrement pour le magazine *PsychoEnfants*, spécialisé en psychologie de l'enfant et de l'adolescent.

Table des matières

Introduction.. 1

Chapitre 1
Bien gérer les premières colères de son enfant

- Du principe de plaisir.. 6
- ... au principe de réalité....................................... 7
- Instaurer des habitudes.. 9

Chapitre 2
Poser les bases de l'autorité

- L'autorité en amont.. 18
- Alimentation, sommeil et « relation » : les trois points forts
  de l'éducation... 20
- Ne pas céder.. 21
- Renforcements négatifs et positifs.............................. 23

Chapitre 3
Apprendre à dire non !

- L'éducation, savant mélange d'amour et de frustration..... 32
- Peur de ne plus être aimé....................................... 34
- Faut-il tout expliquer ?.. 35

© Groupe Eyrolles

Chapitre 4
Dormir chacun dans son lit

- L'autonomie du sommeil 44
- La peur du noir 45
- Rompre l'habitude du partage du lit parental 47

Chapitre 5
Convaincre son enfant de manger

- Récompenses et conséquences 56
- Distinguer la valeur de l'enfant de ses comportements 58
- Une réponse de l'environnement bénéfique pour l'enfant.. 60

Chapitre 6
Parents au bord de la crise de nerfs

- Anticiper pour ne pas craquer 70
- Casser la relation pour ne pas se casser la voix 72
- Un modèle parental plus zen 74

Chapitre 7
Gérer les débordements physiques

- Une impuissance parentale 81
- Un message confus 84
- Ne pas se laisser emporter 86

© Groupe Eyrolles

Chapitre 8
Papa/maman, chacun son rôle ?

- Père-mère, des rôles prédéfinis ?............................ 94
- De nouveaux schémas familiaux ? 96
- Le déterminisme n'existe pas............................. 97

Chapitre 9
Développer l'autonomie de son enfant

- Autonomie dans le plaisir et autonomie dans la réalité 104
- Autorité du parent ou autonomie de l'enfant ? 106
- Être présent pour accompagner l'enfant 107

Chapitre 10
L'apprentissage de l'autorité face à l'école

- L'école, une priorité.. 118
- Une société miniature 120
- Instituteur et parents : même combat !................... 122

Chapitre 11
Réguler la fratrie

- Comme chien et chat.. 129
- Une présence parentale indispensable.................... 131
- Faut-il se reposer sur l'aîné ? 133
- L'intégration des lois par modèles....................... 134

© Groupe Eyrolles

Chapitre 12
Passer le témoin de la «bonne autorité»

- La même autorité de génération en génération?............... 142
- Astuces de grands-mères................................... 144
- Vers sa propre autorité.................................. 145
- La délégation du « pouvoir d'autorité »................... 146

Chapitre 13
Partager l'autorité au sein du couple

- Être toujours cohérent................................... 154
- Un soutien inconditionnel................................ 156
- Habiter sa parole.. 158

Chapitre 14
Faut-il répondre à un enfant qui répond?

- Le « droit de réponse » de l'enfant...................... 165
- Le lien humain numéro un : le respect.................... 167
- Gare aux « phrases toxiques »............................ 169

Pour conclure 175

Bibliographie 177

© Groupe Eyrolles

Introduction

L'éducation n'est pas simplement un métier, c'est un art. Et comme dans tout art, certains parents auront plus de facilités que d'autres, mais tous auront le même objectif, à savoir « construire » leur enfant, l'accompagner et l'aider à affronter la réalité. Cela ne sera pas évident tous les jours, les chemins à emprunter seront sinueux, parfois semés d'embûches, de refus, de crises. Le tout est de ne pas se laisser dépasser par les événements. Avec une bonne base de départ, l'autorité parentale ne sera pas mise à mal. Il ne sera même pas nécessaire de s'énerver, de crier ou de fesser son enfant si les fondations éducatives sont solides. Mais les parents restent des êtres humains comme les autres qui ont aussi leurs faiblesses. Il ne s'agit pas de les juger, mais plutôt de les soutenir et de les aider à corriger les faux pas qu'ils pourront faire. Car certaines erreurs vont être commises, mais elles sont rattrapables.

Le fil conducteur de cet ouvrage est le suivant : comment les parents doivent-ils se comporter, quelles réactions doivent-ils adopter face aux caprices de leur(s) enfant(s) ? Je n'aime pas le terme de « caprice ». Il y a dans ce mot un côté péjoratif qui sous-entendrait que l'enfant, de manière consciente, essaie de manipuler son environnement pour obtenir ce qu'il veut. Or, l'enfant (encore plus les tout-petits) n'est pas du tout conscient. Il fonctionne simplement selon son principe de plaisir immédiat, c'est-à-dire : « Je veux quelque chose, comment vais-je faire pour pouvoir l'obtenir, tout de suite ? »

© Groupe Eyrolles

Mais cette manière de faire n'est pas uniquement réservée à l'enfant. L'adulte aussi a tendance à réagir selon son principe de plaisir. La différence est que, du fait de son expérience de vie, l'adulte parvient plus facilement à se contrôler, à réfréner ses envies immédiates. Voilà pourquoi le terme de caprice est selon moi inapproprié. Ce n'est pas un caprice que fait l'enfant, c'est son attitude naturelle. Bien sûr, certains enfants seront plus quémandeurs que d'autres, certains seront plus « offensifs », d'autres plus calmes et se contenteront de ce que leur donneront leurs parents. Tout dépend du tempérament du petit.

L'enfant ne fait donc pas de caprices, parce que ce n'est pas volontaire, mais il se comporte comme s'il s'agissait bel et bien de caprices. Il adopte ainsi le comportement d'un jeune qui serait un peu gâté, et qui en voudrait encore plus. Cela signifie que, dès le départ, les parents doivent être vigilants et ne pas céder systématiquement aux demandes du petit. Un tout-petit fonctionne par des apprentissages, des sortes de « conditionnements ». Le mot n'est pas joli, mais il signifie que l'enfant apprend qu'il ne peut pas être constamment stimulé, continuellement entouré d'adultes, que, parfois, il y a des moments de « rien », de repos, de pause, et qu'il est nécessaire qu'il s'habitue petit à petit à ce rythme-là. L'enfant apprendra ainsi au fur et à mesure à faire un effort au niveau de l'alimentation, puis de l'hygiène, et ainsi de suite. Autant de directives qui serviront à le préparer à sa future vie d'adulte pour lui permettre de bien s'intégrer dans le monde de la réalité, puis au sein de la société.

© Groupe Eyrolles

2

Bien gérer les premières colères de son enfant

Chapitre 1

« Bérénice a 4 mois. Depuis quelques semaines, elle fait une colère pour un oui ou pour un non. À chaque fois qu'on lui refuse quelque chose, elle s'énerve, crie très fort et se met à pleurer. Nous nous énervons alors à notre tour, ma femme et moi, et finissons par lui crier dessus pour qu'elle se calme. J'ai bien conscience que ce n'est pas la bonne solution mais je ne sais pas quoi faire d'autre. De plus, j'ai peur qu'elle n'ait jamais conscience des limites qu'on essaie de lui inculquer si à chaque fois, nous devons céder à tous ses caprices. »

Le cas de Bérénice est typique de ce que l'on appelle un principe d'escalade. Lorsqu'une grosse colère apparaît, les parents essaient d'abord simplement de calmer leur enfant, généralement soit en l'alimentant de nouveau, soit en lui parlant ou en le prenant dans leurs bras pour le bercer. Mais lorsque l'enfant ne se calme pas, les parents commencent à s'énerver, à crier, pour finalement rejeter leur enfant. La situation se transforme alors effectivement en un conflit avec le petit qui, se sentant agressé, va crier de plus belle pour voir s'il peut gagner la partie. Les parents doivent tenir bon, ne surtout pas céder. Certains enfants sont plus gourmands que d'autres de la vie, et ce sont eux qui n'auront de cesse d'essayer de nier les contraintes du réel en disant : « Moi j'ai envie de ça, et il me le faut tout de suite ! »

© Groupe Eyrolles

■ Du principe de plaisir...

Si la naissance d'un enfant est un événement merveilleux pour bon nombre de parents, du point de vue du nourrisson, c'est une tout autre histoire. En effet, jusque-là choyé, alimenté, protégé, bien au chaud dans le ventre de sa mère, une fois qu'il vient au monde, il se heurte à l'environnement : il ne comprend pas pourquoi il doit maintenant réclamer ce qui lui revenait « de droit », ce qu'il avait à disposition encore quelques semaines auparavant. Ainsi, dès qu'il naît, le nourrisson veut retrouver le même « confort de vie » que lorsqu'il était en situation d'hyperprotection dans ce monde formidable et nourricier qu'était le ventre de sa mère. C'est ce que l'on appelle le principe de plaisir immédiat. L'enfant veut tout et tout de suite ! Il cherche à répondre avant toute chose à ses attentes, ses besoins immédiats : « J'ai envie de manger », « Je ne veux pas dormir », « Je veux que mes parents me prennent dans leurs bras ». Autant de réactions qui se manifestent chez l'enfant durant les premiers mois de la vie à travers ses cris.

La psychologie classique, et la psychanalyse freudienne notamment, mettent tout ces cris sur le compte des premières colères. L'hypothèse première, en psychologie classique, c'est que la colère exprime systématiquement quelque chose, qu'elle a toujours un sens et qu'elle représente une sorte de demande de la part de l'enfant. Elle montre qu'il ne se sent pas bien ou qu'il ressent quelque chose qui ne va pas. Dès lors, l'enfant, dénué de parole, ne peut exprimer son « mal-être » que par des cris ou des pleurs. C'est justement cela qu'il faut ici nuancer. Il y a bien sûr d'autant plus de cris qu'il n'y a

© Groupe Eyrolles

pas de mots chez les tout-petits. C'est une manière pour eux d'attirer l'attention, de montrer qu'ils sont présents. Mais les véritables colères, ou les « *tantrums* » comme disent les Anglo-Saxons (les explosions émotionnelles, caractérisées par l'obstination, le cri), sont le signe que l'enfant fonctionne toujours selon son principe de plaisir immédiat et qu'il refuse la réalité environnante. Selon lui, c'est aux adultes de s'adapter à ses envies, de répondre à ses besoins, d'être présents à chaque fois qu'il en formule la demande, et non l'inverse.

■ ... au principe de réalité

Bien sûr, durant les premières semaines qui suivent la naissance, il est tout à fait normal d'être disponible pour l'enfant. Celui-ci aura besoin de soins quotidiens, d'une présence les premières nuits, d'un rythme d'alimentation régulier et d'une attention constante pour sa sécurité. Ces quatre principes (soin, alimentation, sommeil, sécurité) représentent les demandes auxquelles il faudra expressément répondre pour bien s'assurer qu'il n'y a pas de problème (par exemple, une fenêtre mal fermée qui provoquerait un léger courant d'air, une couche à changer, une sensation de faim). L'enfant ne naît pas avec un rythme de vie préétabli. C'est donc aux parents de lui en enseigner un. Cela se fait progressivement, c'est un apprentissage constant. Mais à partir du moment où l'on a tout vérifié, sur le plan des soins, de l'hygiène, et que l'on joue assez avec lui, qu'on le stimule, qu'on communique suffisamment, il n'y a pas de véritable « demande » de l'enfant

© Groupe Eyrolles

qui, par ses cris, dirait : « Vous ne vous occupez pas assez de moi. » Il faut alors se poser la bonne question : ne serait-il pas simplement en train d'en vouloir plus ?

Les parents se doivent de faire comprendre à leur enfant qu'ils ne peuvent pas systématiquement répondre présent à chacune de ses sollicitations. Il s'agit de lui faire accepter peu à peu la réalité environnante. Certes, ils doivent lui donner son content d'affection, mais ils doivent en même temps commencer petit à petit à éduquer l'enfant, lui dire : « Tu n'es pas tout seul, nous ne pouvons pas répondre immédiatement à toutes tes demandes. » C'est ainsi que l'adulte lui apprend peu à peu la réalité. Le rôle du parent est donc de faire progressivement passer l'enfant, même en bas âge, de son principe de plaisir au principe de réalité.

Mais souvent, les parents ne le font pas. On leur a tellement répété qu'un enfant était fragile, on a tellement stigmatisé ces premières périodes de la vie en leur expliquant combien tout se jouait les premiers mois de sa vie, qu'ils en sont devenus (trop ?) soucieux. Ils marchent sur des œufs, tendant à ne répondre qu'à la demande de l'enfant, car ils ont peur de le « casser », de le brimer. Et les cris de leur enfant viennent conforter leurs craintes. Ils se disent que s'il pleure, c'est qu'il est malheureux, et ils ne veulent pas de ça. Les parents confondent ainsi souvent l'enfant qui est réellement malheureux et celui qui pleurniche ou qui se révolte un petit peu parce qu'il n'a pas ce qu'il veut…

© Groupe Eyrolles

■ Instaurer des habitudes

Au lieu de «psychologiser» tout de suite la relation, les parents peuvent déjà, dans un premier temps, commencer par se demander s'ils n'ont pas manqué quelques petites étapes au niveau de l'interaction avec leur enfant. Sur cette question, je ne suis pas toujours d'accord avec les idées de Françoise Dolto, bien qu'elle ait dit des choses intéressantes et justes sur l'émotion de l'enfant. Mais elle explique par exemple qu'il ne faut pas que l'enfant prenne des habitudes : au contraire, c'est selon moi très important. L'habitude, c'est ce qui va aider l'enfant à accepter la frustration (nous reviendrons sur cette question au chapitre 3). L'habituer à avoir des petits temps de repos et de sieste, c'est l'habituer à avoir un rythme de vie où l'on n'est pas tout le temps dans l'action. De même, l'habituer à faire la différence entre sa demande d'alimentation et la réponse de la maman, qui ne peut pas être tout le temps à son service, c'est l'habituer à ne pas obtenir, là encore, une satisfaction immédiate.

L'enfant ne peut pas savoir de lui-même quel rythme de sommeil, d'alimentation, de jeu ou de communication il doit adopter. Le lui apprendre, c'est lui faire accepter l'idée que l'autre existe. C'est en quelque sorte la première confrontation, le premier rapport à l'autre : « Je veux quelque chose mais l'autre existe, alors il va falloir trouver un compromis. » Les parents doivent donc peu à peu combiner habitudes et principe de réalité. L'un ne va pas sans l'autre.

© Groupe Eyrolles

Non à l'alimentation à la demande

L'alimentation à la demande est bien entendu indispensable dans les premiers jours, car l'enfant ne peut pas apprendre en vingt-quatre heures, alors qu'il a été alimenté à la demande dans le ventre de sa mère, que c'est tout d'un coup terminé. Une transition est donc nécessaire. Mais l'on constate que les parents qui disent que leur enfant a fait très rapidement ses nuits, au bout d'un ou deux mois, sont ceux qui, très tôt, ont doucement reculé l'heure de l'allaitement ou du biberon en pleine nuit. Donner des limites à son enfant lui permet ainsi d'acquérir un rythme d'alimentation en même temps qu'un rythme de sommeil.

C'est au parent que revient donc le dernier mot, c'est lui qui décide et fixe les habitudes à instaurer : la réalité s'apprend par étapes et on ne peut pas choisir de l'accepter ou de la rejeter sans y goûter un peu. Au même titre que lorsqu'un parent donne pour la première fois à son enfant un crayon pour colorier, ce n'est pas ce dernier qui en a formulé la demande. Ce n'est pas lui qui a dit « Je veux un crayon de couleur », car il ne sait même pas que cela existe. C'est exactement la même chose pour tout ce qui est plus contraignant. C'est au parent de décider des rythmes de sommeil et d'alimentation, de fixer les premiers interdits (il est interdit de porter cet objet sale à la bouche, de mettre les doigts dans la prise). Il a plus d'expérience du réel et l'enfant doit lui obéir.

© Groupe Eyrolles

Les outils de PsychoEnfants

◼ La main rassurante

Lorsque votre enfant en bas âge pleure ou s'agite, la première chose à faire est d'aller le voir. Entrez dans la pièce, montrez-lui que vous êtes présent. Vous pouvez très bien lui mettre la main sur le ventre et lui dire calmement : «Oh là! J'ai l'impression que tu fais une petite colère mais je reviens tout à l'heure. Tu sais que tu viens de manger, on a bien joué, maintenant il faut te reposer.» Le fait d'entendre votre voix, de sentir votre toucher, sera pour lui un signe de sécurité.

◼ Attention aux «chocs visuels»

Durant les quelques mois qui suivent la naissance, l'enfant découvre le monde, notamment grâce à ses yeux. Il faut ainsi, dans la mesure du possible, éviter de lui montrer toute image, toute scène qui pourrait lui faire peur. Le risque n'est pas qu'il soit traumatisé à vie, mais ces «chocs visuels» (une scène de ménage avec votre conjoint, une image trop violente à la télévision, une lumière trop vive) pourraient, à court terme, l'inquiéter et l'empêcher par exemple de bien dormir.

◼ Le son apaisant

Certains sons peuvent apaiser le tout-petit. Il s'agit par exemple d'une musique particulière que la mère écoutait lorsqu'elle portait l'enfant dans son ventre, ou du son d'un bola de grossesse (bijou spécialement conçu pour les femmes enceintes, qui produit un bruit familier). L'enfant va se rappeler le moment où il était dans le ventre de sa mère, dans ce climat protecteur et confortable où il ne manquait de rien. Mais il est également possible d'habituer un enfant à un son ou une musique après sa naissance. Il suffit de choisir un son doux, des battements de cœur enregistrés, une comptine pour bébé, que vous pourrez diffuser pendant les moments

© Groupe Eyrolles

d'échange privilégiés avec votre enfant (câlins, jeux, bain, soins, repas). Ainsi, si le petit est énervé, entendre ce son aura tendance à l'apaiser.

■ L'intonation

Depuis Françoise Dolto et son livre *Tout est langage*, nous savons que les bébés ne sont pas de simples tubes digestifs... s'ils ne parlent pas encore, s'ils ne comprennent pas le sens précis de nos mots, ils saisissent nos intonations et reconnaissent au moins trois grandes émotions qui passent dans notre voix: la joie, la colère et la tristesse. Lorsque bébé commence à pleurer et réclame votre attention, plutôt que de crier ou de vous énerver, dites-lui calmement, en maîtrisant votre voix «J'ai bien compris que tu voulais que je m'occupe de toi, mais pour l'instant je n'ai pas le temps.» À partir du moment où il se sentira entendu et où il captera la fermeté douce et calme de votre voix, il aura tendance à accepter plus facilement la frustration.

■ Le massage relaxant

Si votre tout-petit commence à entrer dans un état d'excitation, une méthode peut servir à le calmer rapidement. Il suffit de le coucher sur un lit ou sur la table à langer et d'utiliser un lait pour le corps ou une crème hydratante neutre. Vous pouvez alors procurer à votre petit un massage relaxant tout en lui parlant calmement. Pendant que vos mains parcourent ses jambes, son ventre et ses bras, votre enfant se relaxe petit à petit, bercé par votre voix.

© Groupe Eyrolles

Gare aux autorenforcements

De nombreuses méthodes sont souvent proposées pour tenter de «calmer» l'enfant. Elles peuvent tout à fait fonctionner dans un premier temps, mais si vous voyez que votre intervention n'a que peu d'effets, il sera souhaitable de changer de «stratégie»! Si votre enfant continue ses colères malgré vos interventions, c'est qu'il «s'autorenforce». En clair, il se dit: «J'ai fait un gros caprice et la conséquence, c'est que j'obtiens plus d'attention, de câlins, de caresses.» Si les outils développés ci-dessus ne donnent rien, ne communiquez plus avec votre enfant et instaurez un «*time-out*», comme disent les Anglo-Saxons: placez votre enfant dans son berceau ou dans son lit et ne répondez plus à ses sollicitations pendant quelques minutes. Si votre enfant se calme, la vie reprend avec lui. Si la colère persiste, ajoutez de nouvelles minutes d'exclusion... L'objectif est bien de ne pas «renforcer» la colère de votre enfant, d'éviter qu'il n'apprenne que colère égale à une récompense affective!

© Groupe Eyrolles

Poser les bases de l'autorité

Chapitre 2

« Lorsqu'elle était plus petite, il suffisait que je dise à ma fille, Manon, 2 ans, qu'elle allait avoir une fessée pour qu'elle se calme et arrête la bêtise qu'elle était en train de faire. Mais depuis quelque temps, elle n'écoute plus mes rappels à l'ordre et quand je la menace de lui donner une fessée, elle continue comme si de rien n'était. Je refuse de la frapper, mais je ne sais plus comment me faire obéir. »

Élever la voix, crier, rejeter… Ces comportements font partie de ce que l'on appelle l'autorité en aval. L'enfant a franchi de nombreux feux rouges, des tas de stops, il n'écoute plus, refuse d'obéir et fait preuve de rejet face à toute forme d'autorité. Le parent se retrouve dépassé, à bout, et il réagit à l'émotionnel en exerçant une forme d'autorité colérique, affective. Son enfant l'épuise et il s'agit là d'un rejet pur et simple. Ce n'est plus de l'éducation. Ce comportement n'est pas catastrophique mais témoigne d'une impuissance parentale. Dès lors, il vaut mieux faire comme Émilie, la maman de Manon, et demander de l'aide, des conseils ou se faire coacher pour reprendre les choses en main. Rassurez-vous, même s'il est préférable de bien poser les bases de l'autorité dès les premiers mois qui suivent la naissance, il n'est pas trop tard pour les parents qui ont raté ces premières marches.

© Groupe Eyrolles

■ L'autorité en amont

Rien ne sert de crier, il faut partir à temps ! L'autorité en amont revient à instaurer très rapidement après la naissance les premières bases de son autorité. Les parents sont conscients, parce qu'ils le constatent chaque jour, qu'entre le rythme des besoins de leur enfant et leur rythme de vie, leurs envies, il y a un fossé. Ce fossé s'appelle la réalité, elle-même faite des compromis évoqués dans le premier chapitre. L'un doit accepter de vivre avec l'autre, donc chacun doit faire des efforts, des petits arrangements, pour que cette « cohabitation » se passe le mieux possible. Bien sûr, plus l'enfant est petit et plus les parents s'adaptent à ses besoins. Au début, l'enfant demande ainsi beaucoup de temps, de présence, d'investissement, de câlins, d'attention. Cependant, très vite, l'autorité en amont va permettre de montrer à l'enfant que le monde ne peut pas tout lui apporter. Et il n'y a pas besoin de crier pour cela… Il suffit d'instaurer des limites, des règles de vie, de lui faire comprendre qu'il ne peut pas tout faire et qu'il n'est pas tout seul.

La première relation humaine, c'est de montrer que vous n'êtes pas une chose qui doit répondre à la demande de votre enfant. Le psychanalyste Otto Rank appelait cela le « traumatisme de la naissance », car l'enfant passe du stade où tout lui était acquis dans le ventre de sa mère à celui où il doit désormais composer avec les autres. Il ne s'agit pas d'un traumatisme, c'est simplement la réalité. Le parent doit apprendre cette loi à son enfant avec amour, affection et respect, en instaurant des rythmes de sommeil, d'alimentation, mais aussi en influant sur la relation.

© Groupe Eyrolles

Les bases de l'autorité en amont se mettent en place tout au long de l'enfance. Il n'y a pas d'âge précis où il faut être plus autoritaire avec son enfant. Pensez aux parents qui essaient d'avoir de l'autorité sur un adolescent en crise. C'est trop tard, cela ne fonctionne pas. L'idée est bien d'intervenir avant la tempête. Pour cela, il faut savoir dire non, mettre des limites, interdire, mais ne pas toujours être non plus dans le négatif. Le parent doit aussi savoir récompenser, féliciter et encourager son enfant lorsque celui-ci respecte sa part du marché, les compromis qui lui ont été dictés. Si ces étapes sont franchies correctement, le parent pourra éduquer sans élever la voix ni se laisser dépasser par l'émotionnel.

Donner du poids à sa voix

Votre enfant vous a poussé à bout et vous vous apprêtez à lui crier dessus. Voici quelques conseils pour que le message passe mieux :
- soyez toujours dans la même pièce que votre enfant lorsque vous le disputez, c'est plus efficace que de crier de la pièce voisine. Plus vous être proche physiquement, plus le message sera entendu ;
- mettez-vous à sa hauteur afin de le regarder droit dans les yeux. Votre enfant comprendra plus vite que vous êtes fâché si vous le fixez du regard ;
- montrez que vous êtes présent physiquement en posant votre main sur son épaule. Ce signe, qui peut paraître anodin, est pourtant porteur d'un message : c'est vous qui détenez l'autorité ;
- gardez votre sérieux. Si vous vous mettez à rire ou à sourire devant la bouille de votre enfant, c'est votre crédibilité qui en sera affectée ;

.../...

© Groupe Eyrolles

ayez un ton ferme et parlez normalement. S'il est nécessaire d'adapter votre vocabulaire pour être sûr que votre enfant saisisse bien tous les mots, il ne faut pas s'adresser à lui comme s'il ne comprenait pas.

■ Alimentation, sommeil et «relation»: les trois points forts de l'éducation

S'il y a trois points clés de l'éducation sur lesquels les parents doivent être absolument intransigeants, ce sont l'alimentation, le sommeil et la relation (à travers le jeu ou la communication). Pourquoi? Parce que ce sont ces rythmes de vie qui vont inclure peu à peu l'enfant dans la réalité. Se faisant, le parent inscrit doucement dans la tête de son enfant qu'il est singulier, unique, mais que certaines choses seront incontournables. Ainsi, il faudra bien plus tard qu'il dorme la nuit, il ne devra pas communiquer quand les autres n'en auront pas envie, il faudra qu'il accepte de manger trois fois par jour et non huit, de ne pas jouer toute la journée... Il ne s'agit pas de lui dire que la vie va être dure mais de lui faire comprendre que tout n'est pas possible et qu'il ne peut pas décider de tout. Il y a des temps morts, des moments où papa et maman ne sont pas là...

Beaucoup de parents disent: «C'était difficile, même tout petit, pour l'alimentation, le coucher, etc. Il était insatiable, en perpétuelle demande.» Cela signifie qu'ils n'ont pas su agir en amont. Ils ont cru que répondre tout le temps à la

© Groupe Eyrolles

demande du tout-petit allait le satisfaire, donc le construire. Malheureusement, c'est l'inverse. Quand les parents n'exigent pas suffisamment au niveau de ces trois points (surtout l'alimentation : « Je ne veux pas goûter parce que j'ai décidé que… »), c'est là qu'il y a des enjeux d'expression de soi. L'enfant apprend que l'environnement peut céder, peut s'accommoder à lui. Ce n'est pas bon, parce que ce n'est pas vrai ! La réalité ne s'accommodera jamais à lui. Accepter la vie c'est s'accommoder au réel, et non le contraire. C'est sans aucun doute difficile, frustrant, et toute notre vie tournera autour du problème de l'adéquation de notre principe de plaisir au principe de réalité.

Certains enfants sont très toniques et ne veulent pas accepter des parents l'idée qu'il y a un repos imposé, obligatoire. Ils ne veulent pas rompre la relation, briser le lien, mais bien continuer à s'amuser, à jouer, vivre une réalité uniquement faite de satisfactions. Mais s'il est trop satisfait, l'enfant se sent tout-puissant. Cela ne signifie pas qu'il faille pour autant lui faire mal, le « casser », mais il est indispensable de lui apprendre simplement que la réalité ne se situe pas tout le temps dans la réponse immédiate à ses demandes.

■ Ne pas céder

Il est important de tenir tête à votre enfant afin de lui montrer qui commande. Le fait pour un enfant de hurler, crier, contester pour obtenir quelque chose est une réaction très primaire. Le laisser faire, c'est répondre à une sollicitation trop forte de sa part, c'est-à-dire que c'est lui qui domine. Les parents tombent souvent dans le piège, parce que s'ils tentent, dans un premier temps, de résister face aux cris de leur enfant, ils vont vite se sentir dépassés, soit par l'environnement (des inconnus qui observent la scène), soit par l'enfant lui-même (qui continue de hurler). C'est généralement à ce moment-là que le parent craque et se met lui aussi à crier. Et plus il crie, plus l'enfant crie à son tour, plus le parent va être débordé, plus il risque de se sentir coupable : c'est un cercle vicieux. Au bout du compte, l'un des deux finira par céder. Si c'est le parent, qui va tenter de calmer son enfant en lui redonnant de la nourriture ou en lui faisant un câlin par exemple, c'est une victoire pour l'enfant qui apprend, encore une fois, qu'il peut avoir le dernier mot. Et ce qui est sûr, c'est qu'il recommencera la fois suivante.

Bien entendu, l'enfant n'est pas un animal. Il a besoin d'amour, de présence, de soins et d'attention. Si dès qu'un bébé marmonne dans son lit, ses parents le prennent aussitôt pour lui demander ce qu'il a, il prend l'habitude d'obtenir la présence adulte dès qu'il lève le petit doigt. S'il pleure un peu et que ses parents l'alimentent parce qu'ils supposent qu'il a faim, il prend l'habitude de manger quand il veut. Une fois de plus, tout ceci n'est pas conscient, c'est une manière pour l'enfant d'apprendre. Ces apprentissages s'appellent des renforcements. Ils peuvent être négatifs (l'enfant se dit : « Je fais une crise dans le magasin car je sais qu'au final maman va finir par m'acheter un jouet ») ou positifs (« J'ai goûté le fromage, ça a fait plaisir à papa et maman, donc j'aurai droit à un gros bisou après le dîner »).

> **Exposer le message de manière claire et concise**
> Lorsque leur enfant refuse d'obéir, les parents doivent garder leur sang-froid. Il s'agit de ne pas s'énerver et de ne pas se laisser dépasser par leurs émotions. Pour cela, respirez à fond et parlez calmement. Si votre enfant détecte une contrariété ou une «faille» chez vous, il risque de s'énerver à son tour ou de se servir de cette «faiblesse» pour vous faire plier. Ainsi, parlez clairement et de manière posée. Si votre enfant n'écoute pas, répétez, puis s'il n'y a toujours pas d'amélioration, expliquez-lui ce qu'il risque (conséquence négative). Enfin, sévissez s'il ne change pas de comportement.

■ Renforcements négatifs et positifs

Les renforcements négatifs correspondent aux mauvaises habitudes que prend l'enfant, qui continuera d'adopter un comportement «inapproprié», en tout cas démesuré, si la réponse de l'environnement n'est pas adéquate. Car si chaque fois qu'un enfant hurle il obtient aussitôt un jouet, un bisou ou une réponse affective quelle qu'elle soit, l'enfant en déduit que c'est ce mode relationnel qui est payant. Alors que si, chaque fois qu'il hurle, sa mère lui dit « Oh là, tu n'es pas content, alors je te laisse tout seul dans ton coin et je reviendrai te voir quand tu seras calmé », l'enfant apprend que sa colère n'entraîne pas systématiquement de réponse immédiate. Les enfants prennent ces habitudes très tôt. Lorsqu'un petit quémande de la nourriture alors qu'il vient de prendre son dernier biberon ou d'être allaité, c'est qu'il a pris l'habi-

© Groupe Eyrolles

tude de sentir de nouveau la chaleur du corps de la maman à 3 heures du matin. Pour lui, se mettre en colère équivaut à obtenir. C'est une véritable stratégie. Cela ne signifie pas que l'enfant doive se plier à tout, être « automatisé » : là n'est pas la question. Le véritable enjeu est toujours de savoir comment faire contrepoids à ses demandes face aux exigences de la réalité.

À l'inverse, les renforcements positifs désignent les efforts faits par l'enfant concernant son omnipotence. Lorsque les parents constatent qu'il essaie de freiner ce penchant, il est important de renforcer positivement les choses, c'est-à-dire de souligner les comportements qui font plaisir, comme lorsqu'il goûte de nouveaux aliments par exemple, ou qu'il arrête de pleurnicher quand on ne peut plus jouer avec lui… Il est nécessaire de renvoyer ce type d'image à l'enfant : « C'est bien, maman doit aller ailleurs et papa doit faire autre chose, mais de ton côté, tu es gentil, tu ne pleures plus, tu as compris que tu pouvais attendre. » Le parent lui signifie que c'est cela qu'il attend de lui, qu'il est fier de lui. L'enfant comprend alors qu'il a fait quelque chose dont il n'avait pas forcément envie mais que, suite à cela, l'environnement est content. C'est ce que l'on appelle la parentalité positive.

© Groupe Eyrolles

Des temps de «pause» nécessaires

Il n'est pas tout le temps nécessaire de solliciter votre enfant lorsqu'il est inactif. Si votre enfant, qui a besoin de dormir, est souvent pris dans les bras parce qu'il y a le tonton qui vient, la cousine qui veut le câliner ou les grands-parents qui ne l'ont pas vu beaucoup, le risque est de briser ses rythmes naturels. Votre enfant apprend dès lors qu'il y a des choses beaucoup plus sympathiques que le rythme du sommeil: bisous, câlins, etc. Mais il sera ensuite épuisé, énervé, et fera des colères ou ressentira un mal-être.

© Groupe Eyrolles

Les outils de PsychoEnfants

■ Faites participer votre enfant

Dès que votre enfant commence à marcher, vous pouvez le solliciter, pour qu'il aide à mettre la table par exemple. Donnez-lui sa petite assiette, puis sa serviette, ses couverts, afin qu'il vienne les poser sur la table. De même, lors d'une balade, le papa peut demander à son enfant de cueillir des fleurs pour sa maman. Le but est de faire participer le petit tout en faisant en sorte qu'il se sente utile. Vos félicitations le rendront tout fier.

■ Répétez vingt fois s'il le faut

N'hésitez pas à répéter à votre enfant ce que vous venez de lui demander de faire s'il ne réagit pas tout de suite. Le fait de vous entendre exiger plusieurs fois la même chose, formuler la demande de manière répétée («Range ta chambre») fera comprendre à votre enfant qu'il n'aura pas le dernier mot.

■ Utilisez l'humour

Il n'est pas interdit de se servir de l'humour pour faire passer un message à votre enfant ou lui apprendre quelques règles de bonne conduite. L'autorité ne doit pas être systématiquement rigide, contraignante, difficile à vivre pour l'enfant. Par exemple, vous pouvez feindre de chercher quelque chose dans sa bouche et vous rassurer en disant: «Ouf! Ta langue est toujours là! C'est donc que tu peux t'exprimer lorsque tu souhaites quelque chose...» Mais attention, l'humour ne doit en aucun cas être le seul moyen et ne doit surtout pas être utilisé pour tout ce qui concerne les apprentissages relatifs à la sécurité («Ne mets pas tes doigts dans la prise de courant», «Ne mange pas les baies des arbres que tu ne connais pas», «Ne mets pas ces petits objets dans ta bouche»).

■ Instaurez des règles stables

Nous l'avons vu, il est important d'instaurer des habitudes. Parmi celles-ci, des règles de conduite stables, claires et bien expliquées sont indispensables, et il est primordial de se tenir à la règle fixée. Par exemple, si vous instaurez le fait qu'au moment du coucher votre enfant aura le droit à une histoire, et une seule, il ne faut pas, un soir de la semaine où l'ambiance est plus détendue, en lire deux ou trois parce que le moment est propice. Votre enfant sentira alors qu'il y a possibilité que tous les soirs, avec un petit effort de votre part, il peut avoir plus d'une histoire. Il faut maintenir une cohérence dans l'éducation.

■■■

Apprendre
à dire non !

Chapitre

3

« Lorsque je me promène dans les rayons d'une grande surface avec mon fils Thomas, 3 ans et demi, nous avons l'habitude de faire un tour au rayon des jouets. À chaque fois, il insiste pour que je lui achète quelque chose. Lorsque je refuse, il commence à crier et, très vite, il pique une grosse colère dans le magasin : il refuse de me suivre, se met à pleurer et à crier très fort. Les autres clients me regardent et je me sens très mal à l'aise. De plus, j'ai peur qu'il m'aime moins si je refuse. Si bien que je finis presque toujours par lui acheter quelque chose. J'ai déjà essayé d'éviter le rayon des jouets mais il connaît bien le magasin et s'y rend tout seul. Comment faire pour que ses colères cessent ? »

Quand les parents répondent à l'émotionnel en exprimant à leur enfant leur exaspération et que cela finit quand même avec trois paquets de bonbons ou une petite BD, leur enfant se trouve en plein dans un renforcement négatif : il se dit qu'à chaque fois qu'il est dans le conflictuel, dans l'agression ou dans l'opposition, il obtient de toute façon ce qu'il veut. C'est à ce moment-là que les parents doivent tenir bon. Parce que dès qu'ils cèdent, c'est fini ! Le petit détient désormais une « combine » pour obtenir quand même, et il devient donc de plus en plus omnipotent : « J'ai fait le zouave la nuit dernière et finalement j'ai fini dans le lit de papa et maman » ; « Je n'ai pas été sage à la grande surface et j'ai quand même obtenu mon jouet ». En apprenant que le monde peut lui obéir, il augmente alors son intolérance aux frustrations. Le frustrer serait lui dire : « Non, tu n'obtiens pas, puisque ce n'est pas toi qui décide ! Point. »

© Groupe Eyrolles

■ L'éducation, savant mélange d'amour et de frustration

Frustrer son enfant, c'est ne pas satisfaire immédiatement ses désirs, c'est-à-dire lui éviter d'être tout le temps dans son principe de plaisir. Il existe certes des désirs qui doivent être satisfaits (chaleur, alimentation, hygiène, amour, valorisation par exemple), mais cela n'est pas tout le temps possible. L'enfant doit donc comprendre qu'il y aura forcément des moments de manque, de carences, d'attentes. C'est à tout cela que correspond la frustration. Et c'est précisément ce qui est le plus dur pour l'enfant, qui découvre la réalité du jour au lendemain : « Si je ne respire pas bien, je m'étouffe », « Si j'ai faim et que je n'ai pas quelque chose à manger tout de suite, il faut que j'attende », « Si j'ai envie de câlins et qu'il n'y a personne dans la pièce, je n'en ai pas », etc.

La frustration est non seulement indispensable, mais elle participe aussi au bon développement et à la construction psychique de l'enfant. Éduquer son enfant est donc un judicieux équilibre entre l'amour, la chaleur, la confiance en soi, l'estime de soi, et des périodes dites d'apprentissage un peu plus difficiles, d'attentes, de manques, de frustrations. Il faut toujours qu'il y ait de l'amour ET de la frustration. La frustration sans amour c'est de l'autoritarisme (« La vie n'est pas facile », « Tais-toi », « Passe derrière »), et l'amour sans frustration c'est l'omnipotence (« Tout est possible », « Tout est centré sur toi », « Tout le monde t'admire », « Tu peux tout te permettre »).

© Groupe Eyrolles

Ainsi, à la fin d'une journée, l'enfant doit avoir eu son content de communication, de jeux... mais il doit aussi avoir été frustré par moments. On dit toujours que, chez les tout-petits, cela n'est pas possible, pas réalisable. Mais si, ça l'est ! Il suffit d'interrompre un jeu parce que vous êtes fatigué, d'imposer des rythmes de sommeil quand votre enfant n'en peut plus, toutes ces petites choses *a minima* qui montrent qu'il n'est pas possible d'être tout le temps dans la demande, dans l'exigence. Il ne s'agit pas de choses difficiles, vilaines, « castrantes » pour reprendre l'expression des psys classiques pour qui la petite enfance devait être tout le temps cajolée, chérie, choyée, parce que c'est dans l'amour et l'abondance que l'enfant se développe, se construit, qu'il a confiance en lui. Or la carence frustre, certes, mais elle ne détruit pas.

Autour du monde

Au début du vingtième siècle où la sous-alimentation sévissait encore, les mères de certaines tribus des Indes donnant le sein interrompaient volontairement l'allaitement dans le but de faire comprendre à leur enfant qu'il n'y aurait pas forcément de lait tout le temps. Il y avait donc une sorte de bon sens chez ces tribus. Les femmes habituaient donc leurs enfants à être sevrés dans un moment privilégié d'alimentation. Dire cela à quelqu'un aujourd'hui qui défend le maternage proximal (c'est-à-dire l'idée qu'il faut à tout prix respecter le rythme de l'enfant pour lui éviter tout stress inutile) le ferait hurler, et il vous dirait : « Mon enfant va mourir si je suis obligé de lui enlever le téton au moment où il en veut encore plus. » Je ne vous dirai pas de faire comme ces

.../...

femmes des Indes mais, symboliquement, c'est un exemple fort de la frustration. Cela signifie que l'alimentation à la demande n'est pas forcément une bonne chose pour l'enfant, qu'il ne faut pas habituer un enfant à être nourri à chaque fois qu'il en a envie.

■ Peur de ne plus être aimé

Beaucoup de parents craignent de dire non à leur enfant par crainte de le brimer, de le blesser psychologiquement ou de perdre son amour. C'est l'idée qui revient souvent lorsqu'il y a un conflit avec l'enfant dans le sens de l'autorité verticale, c'est-à-dire lorsque des parents imposent à leur enfant quelque chose qui ne lui plaît pas. Il va de soi que ce dernier ne va pas les remercier en disant « Merci, cela me structure, je grandis et c'est une bonne chose » ! Non, il réagit aussitôt par de l'opposition. Beaucoup de parents croient alors que leur enfant est très malheureux, alors qu'il est simplement frustré. Et quand quelqu'un est frustré, il ne sourit pas à son interlocuteur, il ne le remercie pas, il ne le gratifie pas ; il lui fait la tête, il pleure ou il l'agresse.

Les parents ont du mal à gérer ces réactions parce qu'elles font ressurgir leurs propres émotions. Voyant ou croyant leur enfant malheureux, ils se remémorent leurs propres frustrations d'enfance, les moments où ils étaient eux-mêmes isolés, incompris, délaissés. Les parents ont alors du mal à frustrer leur enfant parce qu'ils confondent la légère frustration de leur progéniture et un moment de grande désolation qu'ils ont eux-mêmes vécu. Ils ont ainsi souvent tendance à dramatiser la réponse émotionnelle de leur enfant, allant même parfois jusqu'à croire que s'ils sont trop durs avec lui, celui-ci risque de ne plus les aimer. Mais n'entend-on pas souvent dire, au contraire, qu'« éduquer, c'est accepter de se faire détester » ? Et ceci n'est pas à la portée de tout le monde.

Relativiser pour ne pas culpabiliser

Vous refusez de punir votre enfant de peur qu'il ne vous aime plus ? Relativisez ! Demandez-vous pourquoi vous le punissez, et surtout quelles seront les conséquences à long terme si vous ne le faites pas. Si vous ne l'obligez pas à ranger sa chambre, cela lui sera-t-il profitable (sur le plan intellectuel, social, physique) ? La réponse est non ! Céder face à votre enfant qui fait une colère ne l'aide pas et le fait de lui dire non ne signifie pas qu'il vous aimera moins. Nul doute que sur l'instant, il sera en colère (contre vous), mais il vous aimera toujours autant une fois la contrariété passée.

■ Faut-il tout expliquer ?

L'enfant a de grandes chances de penser qu'on lui refuse quelque chose parce qu'on ne l'aime pas, car pour lui l'amour signifie qu'on lui donne tout. Le rôle de ses parents est ici très important. Il est nécessaire de lui dire : « Je t'aime mais tu vas te coucher maintenant », « Je t'aime mais tu goûtes

© Groupe Eyrolles

les haricots », « Je t'aime mais tu partages ton jouet avec ton frère ». Vous devez faire les deux pour que votre enfant comprenne que le refus n'a rien à voir avec lui en tant que personne, que ce n'est pas lui que vous n'aimez pas mais son comportement.

La tendance actuelle est de vouloir trop expliquer. Or, il est inutile de passer des heures et des heures à tout décortiquer d'une loi. Il faut bien sûr expliciter, la parole étant toujours bonne : « Si je te demande de goûter, c'est parce que tu ne sais pas si c'est bon ou non » ; « Si je te demande de te coucher tôt, c'est parce que sinon tu seras trop fatigué demain ». Cependant, ce n'est pas le « trop fatigué demain » que votre enfant retient. Il ne retient que le côté frustrant : il doit aller se coucher. C'est ainsi qu'il apprend les choses. Alors oui, la loi doit être expliquée, les parents doivent exposer leur mode de fonctionnement, mais il ne sert à rien de se lancer dans de grands discours que l'enfant ne comprendra pas, de polémiquer en lui expliquant que c'est pour son bien. De toute façon, l'enfant n'écoute plus, puisque pour lui, frustration est synonyme de privation.

Il est cependant utile de souligner votre satisfaction à votre enfant à chaque fois que celui-ci fait un effort. Si un soir il s'endort plus tôt, il est bon de lui dire le lendemain : « C'est bien, tu n'as pas pleuré hier. Et tu vois à quel point tu te réveilles mieux ce matin ? » Il s'agit de lui montrer que tout le travail n'a pas été fait en vain. Le but n'est pas de lui dire « Nous avions raison de te forcer, ce que nous faisons c'est pour ton bien », mais les parents doivent lui montrer qu'ils sont contents lorsqu'il accepte des petits moments de frus-

© Groupe Eyrolles

tration, qu'il s'affranchit parfois de ses envies premières. Les parents ont en effet généralement tendance à ne souligner auprès de leur enfant que ce qui est négatif : « Tu n'as vraiment pas été gentil hier soir, ce n'est pas bien. » Ils oublient ainsi souvent l'autre versant, qui consiste à gratifier l'enfant, comme si cela était normal. Alors oui, cela le deviendra au fur et à mesure, mais au début, il est important de le souligner.

© Groupe Eyrolles

Les outils de PsychoEnfants

■ Pourquoi tu pleures ?

Si votre enfant pleure à chaudes larmes et peine à se calmer, demandez-lui le plus tranquillement possible pourquoi il pleure sans hausser le ton, ni montrer d'énervement. Dites-lui alors que vous ne comprenez pas ce qu'il dit lorsqu'il parle entre deux sanglots : « Parle normalement, je ne comprends pas ce que tu racontes sinon. » Cela obligera votre enfant à se calmer, à reprendre ses esprits et à formuler clairement sa demande.

■ Cris *versus* chuchotements

Face à un refus de leurs parents, certains enfants se mettent à hurler. Il devient alors difficile de se faire entendre. Pour éviter de crier encore plus fort, une technique simple : chuchotez. Votre enfant « braille » ? Faites l'inverse ! Il sera obligé de baisser d'un ton s'il veut entendre ce que vous lui dites.

■ Oui, mais non !

Plutôt que de refuser catégoriquement quelque chose à votre enfant lorsqu'il commence une colère, il vaut parfois mieux lui dire que vous êtes d'accord, mais pas tout de suite. S'il veut jouer avant de se coucher, il suffit de lui dire : « Oui, tu pourras jouer avec tes petites voitures, mais là, pour l'instant, il est l'heure d'aller se coucher. Tu y joueras demain matin. » Ainsi votre enfant aura le sentiment que vous ne lui avez pas dit non et que sa demande a bien été entendue.

■ 1 fois, 2 fois, 3 fois... conséquence !

Cette méthode a été popularisée par une célèbre émission télévisée. Pour que votre enfant vous écoute et vous obéisse, il vous faut répéter votre demande en vous adressant à lui. Si votre enfant n'écoute pas après la première demande, comptez

© Groupe Eyrolles

à voix haute : « 1 fois, 2 fois, 3 fois. » Si au chiffre 3, il n'a toujours pas obéi, agissez en conséquence et sanctionnez son comportement.

■ **Définissez bien les règles !**

Il est primordial de bien définir les règles auprès de votre enfant avant toute activité qui pourrait présenter des « risques » quant à son comportement. Si vous devez faire des courses dans un magasin avec votre enfant, pensez à :

- l'aider à anticiper une situation difficile pour lui ;
- bien lui dire qu'il devra rester près de vous ;
- lui préciser qu'il ne devra toucher à rien dans le magasin ;
- lui indiquer que vous n'achèterez rien de particulier pour lui ;
- lui spécifier qu'il devra marcher en restant calme.

■■■

Dormir chacun dans son lit

« Mickaël, 3 ans et demi, a peur du noir et refuse de s'endormir tout seul dans sa chambre. Ma compagne et moi avons tout essayé : lecture d'histoires, jeux de société, promesse de récompenses s'il ne pleurait pas. Nous avons même tenté de décaler l'heure du dîner, en espérant qu'il soit plus fatigué et qu'il ait moins de mal à s'endormir. Mais à chaque fois c'est pareil. Au moment du coucher, il entame une grosse colère lorsqu'on le met au lit. J'ai suggéré de le laisser pleurer mais ma compagne va toujours le chercher au bout de 5 à 10 minutes. Mickaël s'endort alors à nos côtés, devant la télévision ou dans notre lit. »

Il est normal que l'enfant ait des peurs, qu'il réclame encore un câlin ou la présence d'un parent au moment du coucher. Ne serait-ce, quand il est encore tout petit, que pour ressentir l'odeur ou la chaleur du père ou de la mère. Mais tous les parents dont les enfants hurlent lorsqu'on les remet dans leur chambre et qui ne dorment pas de la nuit sont ceux qui, un jour ou l'autre, ont cédé et sorti leur enfant de son lit pour le prendre avec eux. Une fois encore, il n'est pas interdit de prendre l'enfant, mais si le parent le cajole, lui fait un bisou et le remet dans son lit aussitôt en lui disant : « Ce n'est pas facile mais nous sommes là, pas loin. » Et le plus grand piège à éviter est de le prendre avec soi dans le lit parental. Ce serait là induire une fois de plus un renforcement négatif. Mais alors pourquoi beaucoup d'enfants n'ont-ils pas besoin d'aller dans le lit de leurs parents ? Ce n'est pas parce qu'il s'agit de jeunes hyper solides ou non anxieux, non, c'est simplement parce que les parents ont su dire non au moment opportun.

© Groupe Eyrolles

■ L'autonomie du sommeil

Si certains enfants font leurs nuits assez rapidement, à tout juste 2 mois parfois, il n'y a pas de règle générale ou d'âge précis à partir duquel tous les enfants sont concernés. Impossible donc d'affirmer qu'un enfant doit dormir seul à partir de 4 mois et 15 jours… Cela dépend de facteurs variés, parmi lesquels les règles qu'ont imposées les parents, ou bien le caractère de l'enfant, certains étant plus quémandeurs que d'autres. La question est de savoir comment mener le petit vers l'autonomie.

L'autonomie est liée à la frustration, que l'enfant va accepter ou non. Lorsqu'un enfant fait ses nuits très tôt, cela signifie qu'il a accepté la frustration de rester seul, qu'il a accepté le rythme de vie qui lui a été donné : le dernier biberon est pris vers minuit et le tout premier vers 5-6 heures du matin. De cinq heures de sommeil, le rythme passera ensuite à six, à sept, cela se fait progressivement, il ne s'agit pas d'une acquisition brutale. L'on voit encore cependant des enfants qui, à 2 ans et demi, sont allaités à 3 heures du matin. Il s'agit là d'une situation hors norme, qui signifie que quelque chose ne va pas.

Dans tous les cas, en toute logique, l'enfant est censé être sevré au niveau du liquide à partir du moment où peuvent être intégrés des aliments solides à sa nourriture, c'est-à-dire après l'apparition des premières dents, vers 6 mois. Outre le début d'une nouvelle alimentation, avec l'utilisation de la cuiller se développe la motricité fine au niveau des mains,

© Groupe Eyrolles

l'enfant acquiert ainsi de l'habileté et commence à être auto-nome… Les rythmes d'alimentation doivent alors être déjà bien ancrés. Les parents doivent se fier à leur bon sens. Lorsqu'un enfant commence à pouvoir consommer du solide, il ne doit en principe pas réclamer le sein ou un biberon à 3 heures du matin. Les parents doivent avoir le sens des réa-lités. Non pas d'une façon rigide, en fixant eux-mêmes une date butoir non négociable à laquelle leur enfant devra avoir atteint un rythme parfaitement stable d'alimentation ou de sommeil, mais en refusant certaines «facilités», comme le fait de laisser leur enfant s'endormir avec eux. Un enfant a besoin de règles bien établies pour se construire pleinement. La question de l'autonomie du sommeil est l'une de ces étapes qui lui permettront de grandir.

■ La peur du noir

Certains enfants au tempérament anxieux sont très sensibles au noir, très apeurés quand vient le soir. Pour autant, si la transition vers la nuit est difficile pour ces enfants et peut pro-voquer de petites angoisses, il ne s'agit pas non plus, comme cela a pu être dit, d'un moment terrible, dramatique parce que l'enfant n'est plus en fusion avec ses parents. C'est un moment certes difficile pour l'enfant anxieux parce qu'il peut ressentir des peurs, mais ces peurs peuvent être atténuées par des rituels sécurisants tels que l'histoire du soir, le petit bisou, la présence d'une veilleuse, un petit verre de lait. Les parents peuvent également placer dans le lit des objets transitionnels, comme une petite peluche, afin de les aider à moins appréhender le moment du coucher.

Mais lorsque l'enfant n'est en revanche pas du tout anxieux, qu'il cherche à jouer jusqu'au bout et qu'il fait plus de « cinéma », il faut alors appliquer une autorité un peu plus ferme et lui dire, par exemple : « Bon, écoute, nous avons compris, mais c'est fini. Nous sommes fatigués donc on arrête maintenant. » Il faut ainsi savoir sentir et faire la différence entre les enfants très sensibles qui ont peur du noir et ceux qui font leur petit caprice. Dans le cas de ces derniers, l'erreur à ne pas commettre, mais que font pourtant bon nombre de parents, est de prendre leur enfant avec eux dans le lit parental. Lorsque le coucher est difficile, les parents se disent généralement que leur enfant ne va pas bien, qu'il souffre. Là encore, ce sont les cognitions ou pensées automatiques (c'est-à-dire les fausses croyances) du parent, liées à son éducation, qui sont en jeu et non celles des enfants.

Il faut paisiblement déconditionner l'enfant afin qu'il passe moins de temps dans le lit de ses parents pour le remettre petit à petit dans son lit avec une comptine, une histoire. Il faut lui parler, le rassurer, mais il faut le faire dans sa chambre. Tout ceci n'a cependant rien à voir avec le fait de prendre son enfant avec soi le samedi ou le dimanche matin, quand tout le monde se retrouve dans le lit parental pour rire. Il s'agit là d'un moment de joie familiale. Si les parents disent à leur enfant que parce qu'il a du mal à s'endormir seul alors ils vont le prendre avec eux, il ne pourra jamais s'endormir seul, car le message qu'ils lui transmettent est que dormir seul est effectivement un moment difficile et frustrant qui nécessite leur présence.

Nous l'avons vu, l'autonomie, c'est pouvoir accepter la frustration seul. L'objectif des parents est alors de savoir comment inculquer cette autonomie à leur enfant.

■ Rompre l'habitude du partage du lit parental

Les zones d'ombre ou les difficultés que les parents rencontrent viennent du fait que, tout à coup, il faut réapprendre à l'enfant des choses auxquelles il n'était pas préparé. C'est alors toute une technique qu'il est nécessaire de mettre en place. Il faut rompre les mauvaises habitudes de manière inconditionnelle, mais sans brutalité. Il ne faut ainsi pas remettre l'enfant du jour au lendemain dans son lit en claquant la porte et en lui ordonnant de se taire, car il a pris des habitudes, il a envie d'être avec papa ou maman lors du coucher. Il faut lui expliquer que ce n'est pas possible parce que l'on dort mal, et tenter à nouveau, progressivement, de faire en sorte que chacun dorme à sa place. Les parents peuvent ainsi lui dire, s'ils le prennent avec eux pour le bercer : « Lorsque tu seras endormi, nous te remettrons dans ton lit et tu y passeras la fin de la nuit. » Mais le plus souvent, les parents ne le font pas ; l'enfant s'endort mais ils le gardent un peu, alors qu'il est primordial de le remettre dans son lit à ce moment-là.

L'étape suivante est de lui dire qu'il va s'endormir seul le soir dans son lit parce que la situation n'est plus possible pour les parents. Il faut à nouveau agir de manière progressive et non tout d'un coup, sinon l'enfant ne comprendra pas. On ne dit

© Groupe Eyrolles

pas à un fumeur accro à la cigarette d'arrêter de fumer du jour au lendemain, on passe de vingt cigarettes à cinq. De la même manière, il faut habituer l'enfant petit à petit, procéder par étapes. Tout ce qui est fait brutalement équivaut à de la frustration « castrante », à de l'autoritarisme.

Et l'Œdipe dans tout ça ?

Croire à l'Œdipe, c'est se dire : «Mon enfant est en phase amoureuse avec papa ou maman, il faut quand même que je le laisse fantasmer un peu autour de ça pour sa bonne construction psychologique.» C'est absurde ! Selon moi, Œdipe n'existe pas, ce n'est qu'une hypothèse de Sigmund Freud qui a été reprise par la psychanalyse qu'il a créée. Selon cette théorie, l'Œdipe intervient en général entre 4 ans et demi et 7 ans. Or, il est rare qu'un enfant de 7 ans dorme encore dans le lit de ses parents... Et si l'Œdipe existait, il ne faudrait surtout pas que l'enfant partage le lit de ses parents puisque cela signifierait qu'il est, inconsciemment, incestueusement en train de faire l'amour avec son père ou avec sa mère.

L'amour que porte l'enfant à ses parents n'a rien de sexuel ; il n'y a rien qui se joue sexuellement entre l'enfant et ses parents au niveau du toucher, des regards, de la présence. Mieux vaut dire à son enfant : «Maman et moi avons notre propre lit et toi tu as le tien parce que la vie est comme ça, que c'est chacun sa place.» Cela ne revient pas à castrer son enfant au niveau œdipien, c'est simplement lui dire la vérité.

© Groupe Eyrolles

Les parents qui sont tombés dans le piège du coucher doivent donc paisiblement déconditionner leur enfant, sans oublier de le renforcer positivement : « Tu vois, hier, c'est bien, tu as fait presque toute ta nuit et nous aussi. » Et ils peuvent même ajouter : « Si tu passes encore une nuit complète sans aller dans notre lit, il y aura une petite récompense demain. » Il s'agit là de béhaviorisme, de comportementalisme pur, mais quand l'enfant est très « conditionné », c'est-à-dire habitué à rester dans le lit de ses parents, il n'y a que ces méthodes qui fonctionnent. Inutile de dire à l'enfant « Reste dans ton lit pour permettre à papa et maman de faire l'amour et que nous restions entre adultes », car cela ne le concerne pas et, de toute façon, il n'en a rien à faire. L'objectif est donc de réhabituer l'enfant peu à peu à adopter un comportement, des attitudes adéquates avec les rythmes de vie que tentent d'imposer ses parents.

© Groupe Eyrolles

Les outils de PsychoEnfants

■ Pas de doudou dans le lit des parents

Certains enfants sont très attachés à une petite peluche, à un mouchoir, à un doudou, et ont beaucoup de mal à s'endormir sans. Si votre enfant se met à pleurer en réclamant le lit parental, dites-lui que lui est accepté, mais pas son doudou. À vous de trouver une excuse (le lit n'est pas assez grand pour tout le monde, ou, à l'inverse, vous risquez de perdre le doudou dans le lit). S'il veut dormir avec son doudou, votre enfant devra rester dans son lit.

■ Annoncez l'heure du coucher

Votre enfant peut refuser d'aller au lit parce qu'il est interrompu en plein milieu d'une activité ou d'un jeu. Ainsi, pour faciliter le coucher, mieux vaut lui annoncer que le moment d'aller au lit va arriver. S'il est par exemple dans sa chambre en train de jouer, vous pouvez passer la tête dans l'encadrement de la porte et lui dire: «Je te laisse encore cinq minutes mais après je te mets dans ton lit», plutôt que d'arriver sans prévenir et lui ordonner «Allez, au lit maintenant!». Une fois prévenu, votre enfant saura que le moment du coucher arrive et il y sera préparé.

■ Faites le lien avec le lendemain

Le moment du coucher peut être vécu comme un abandon de la part des parents. Pour lutter contre cela et rassurer votre enfant, parlez-lui des retrouvailles. Il ne s'agira plus ainsi d'un abandon, mais bien d'une pause. Vous pouvez par exemple dire à votre enfant: «Demain, nous irons au parc» ou «Quand tu te réveilleras, nous regarderons le petit dessin animé que tu aimes tant». Il faut juste rendre la transition entre le soir et le matin plus «acceptable», moins difficile.

50

■ L'explication par l'exemple

De temps en temps, proposez à votre enfant d'inverser les rôles: il jouera au papa ou à la maman tandis que vous serez l'enfant. N'hésitez alors surtout pas à le solliciter, à lui réclamer des câlins, à prendre toute la place dans son petit lit, à lui dire que vous avez faim, que vous avez envie de jouer. Il ne s'agit bien évidemment pas de le caricaturer ou de se moquer de lui et de ses demandes, mais bien de lui faire comprendre qu'un parent a beaucoup de choses à faire et qu'il ne peut pas être sans arrêt disponible.

■ La mise à niveau

Il est important que votre enfant comprenne que vous ne le punissez pas pour le plaisir de le voir souffrir. Expliquez-lui que le fait de le gronder ou de le «sanctionner» lorsqu'il refuse de vous obéir n'est pas une chose que vous souhaitez mais que ce n'est que la réponse logique à son comportement. Placez-vous ainsi à son niveau et dites-lui «Tu vois, tu n'as pas écouté et maman s'est fâchée. C'est dommage, parce que tu sais ce qui arrive quand tu fais ce que maman ou papa te demandent. On est contents et on passe de bons moments tous ensemble, mais quand tu boudes ou que tu ne veux pas aller te coucher, on n'a plus envie de rigoler». Il ne s'agit évidemment pas de l'accabler de tous les maux familiaux et de le culpabiliser outre mesure, mais il comprend que son comportement n'était pas celui que vous attendiez de lui.

Convaincre son enfant de manger

Chapitre

5

«Ma fille Laura, 4 ans, est très difficile. À table, elle refuse systématiquement tous les nouveaux aliments que je lui propose : petits pois, asperges, artichauts, carottes. Elle dit toujours non, même quand je lui demande simplement de goûter. Et quand je lui explique qu'elle n'aura rien d'autre, elle se met à pleurer et je commence à crier. Comme je n'ai pas envie qu'elle ait faim le reste de la journée, je finis par lui donner le seul plat qu'elle veut bien manger : du jambon avec des pâtes. Comment la convaincre de goûter certains aliments ? »

Laura n'est pas difficile, elle se trouve simplement en immédiateté, en stimulus-réponse. Si effectivement, à chaque fois que les parents demandent à leur enfant de goûter un nouvel aliment il refuse et qu'ils cèdent, ce dernier apprend qu'en répondant non, il a la possibilité de ne jamais essayer. Il faut faire preuve de bon sens : expliquer à son enfant qu'il a parfaitement le droit de dire quel est son goût, s'il aime ou non, mais qu'il ne peut pas le faire sans avoir auparavant goûter le nouvel aliment. Tenir bon et maintenir son injonction, son exigence, permettra à l'enfant de pouvoir affirmer un jour ou l'autre à juste titre qu'il préfère tel fromage à tel autre. Le parent se doit une fois de plus d'user d'autorité verticale, c'est à lui de décider à la place de l'enfant en asseyant sa légitimité sur sa meilleure expérience de la vie, sur le fait qu'il connaît mieux le réel que son enfant.

© Groupe Eyrolles

> ### Le repas, un moment privilégié
>
> Dans la tradition française, le repas est un moment important parce qu'il réunit généralement la famille autour d'une même table. Mais au-delà de cette tradition, le repas est encore plus essentiel en ce sens qu'il participe à l'apprentissage éducatif de l'enfant. En effet, c'est la base même du lien social. Autour de cette table, l'enfant va apprendre à composer avec les autres. Il va partager, découvrir, goûter de nouvelles saveurs. C'est également à cette occasion qu'il va apprendre à se servir de ses couverts, de sa serviette. Enfin, le repas du soir est souvent un moment privilégié durant lequel les parents (et le reste de la famille) choisissent de se raconter leur journée. Ainsi, l'enfant progresse tout à la fois aux niveaux alimentaire (variété des aliments), hygiène et communication.

■ Récompenses et conséquences

Il est tout à fait possible, et ce sans hausser le ton, de faire comprendre à son enfant qu'il a mal agi ou qu'il a dépassé les limites. Je préfère alors parler de « conséquence » et non de « punition », terme que je n'aime pas car il renferme la notion de blesser, de faire mal. L'idée de conséquence est beaucoup plus logique : « Tu n'as pas voulu goûter le fromage, alors il n'y aura pas de dessert pour toi ce soir. » Tout est affaire de compromis. L'enfant doit apprendre très vite que s'il ne fait pas d'efforts, il n'y a aucune raison que ses parents en fassent de leur côté. L'important est d'être cohérent et les conséquences doivent rester en rapport avec le comportement de l'enfant qui a déplu. Punir ainsi un enfant en le privant de télévision pen-

© Groupe Eyrolles

dant une semaine parce qu'il n'a rien mangé n'a pas de sens, cela n'est pas rationnel, car l'enfant ne comprend pas pourquoi ses parents associent le repas à la télévision. Alors qu'exposer la conséquence qui découle d'un comportement devient parfaitement logique : « Hier soir tu n'as pas été très mignon, tu as pleuré et tu as fait une colère lorsque nous t'avons mis dans ton lit ; eh bien ce soir je suis trop fatigué pour te lire une histoire. Je te fais un gros bisou, je t'aime, mais à la place je vais regarder un film à la télé et je passerai moins de temps dans ta chambre. » Ainsi, si l'enfant à un moment donné ne freine pas son principe de plaisir et qu'il ne tient pas compte de l'autre, c'est-à-dire du parent, alors ce dernier doit agir en conséquence en répondant moins à ses attentes.

Mais les conséquences ne sont pas forcément négatives. Lorsque l'enfant fait quelque chose de bien, qu'il respecte sa part du marché, il est tout à fait envisageable de le féliciter en lui offrant une récompense : « Tu as accepté de goûter les épinards, alors pour te faire plaisir, demain, on fera un plat que tu aimes bien. » L'effort doit ainsi véritablement être fait des deux côtés. Il est normal d'encourager un enfant lorsqu'il fait quelque chose qu'il n'avait pas forcément envie de faire. Car lorsqu'un enfant goûte un aliment, il ne le fait pas en se disant « Chouette, je vais découvrir une nouvelle saveur ». Il est plutôt réticent au départ. Alors s'il goûte, c'est avant tout pour faire plaisir à ses parents, ou parce que ceux-ci ont fait preuve d'autorité et qu'ils viennent de lui demander de le faire. Dès lors, à partir du moment où l'enfant répond à la demande, même s'il n'aime finalement pas l'aliment en question, ses parents doivent le féliciter pour cet effort.

Le top 10 des aliments préférés des tout-petits

Le docteur Jean-Michel Cohen, auteur de *Savoir manger. La vérité sur nos aliments*, a dressé la liste des dix plats préférés des enfants. Parmi eux, beaucoup de mou, de sucré, de gras. C'est pourquoi il est important de varier l'alimentation des plus jeunes et de ne pas toujours leur servir ce qu'ils demandent. Si l'on ne répond qu'au « goût » de l'enfant, le risque est grand d'en faire un futur obèse, comme on peut le voir chez les tout-petits d'Amérique du Nord...

Les dix aliments préférés des enfants sont :

- le poisson pané ;
- le steak haché ;
- les frites ;
- les pâtes ;
- la pizza ;
- la pâte à tartiner ;
- les confiseries ;
- les sodas ;
- les glaces ;
- le fromage.

- Source : J.-M. Cohen, *Savoir manger. La vérité sur nos aliments*, Flammarion, 2011.

■ Distinguer la valeur de l'enfant de ses comportements

Récompenser ou donner des petites punitions, des « conséquences », sont des comportements qui n'ont rien à voir avec du chantage affectif. Il s'agit encore une fois de l'apprentissage de la réalité. Il y aurait chantage affectif si les parents ne distinguaient pas l'acte de l'enfant de sa personne, c'est-à-dire s'ils lui disaient « Tu es adorable parce que tu as fait ceci » ou « Je ne t'aime pas puisque tu n'as pas fait cela ». Il est absurde de faire entrer en jeu la question des sentiments ; c'est le comportement de l'enfant que le parent n'aime pas sur le moment, et non l'enfant lui-même.

Il y a ainsi une façon de parler à l'enfant, de s'affirmer et d'exiger des choses sans pour autant tomber dans l'émotionnel. Passé 2 ans, lorsque l'enfant commence à comprendre plus clairement ce qu'on lui dit, il faut par exemple lui expliquer que quelqu'un a pris du temps et s'est donné du mal pour préparer le repas. Or, quand une personne (ici le parent) fait quelque chose pour l'autre, le pacte est d'au moins tenter de lui faire plaisir en goûtant ce qu'elle a cuisiné. Il ne faut donc pas gaver l'enfant, le forcer à déglutir les aliments, mais lui rappeler les termes du contrat : « Nous avons fait un effort pour te faire plaisir, tu fais un effort aussi… » Entre obliger l'enfant à avaler et lui demander de goûter, il y a une différence ! Dans le premier cas, il s'agit d'autoritarisme, dans le second c'est de l'autorité. Deux cas de figure sont alors possibles. Soit l'enfant comprend cela et il va se forcer et goûter (il va peut-être faire un peu la grimace, mais il le fait) : sur le plan relationnel, il fait plaisir, ses parents sont contents et le lui font savoir. Soit l'enfant ne comprend pas (parce qu'il est trop jeune ou parce qu'il ne veut pas faire l'effort de comprendre l'existence du rapport à l'autre) et dans ce cas, la conséquence doit tomber. Redisons-le, il ne s'agit pas de chantage.

© Groupe Eyrolles

De la même manière que les parents doivent distinguer le comportement de la valeur intrinsèque de leur enfant, lorsque ce dernier refuse de goûter, même s'il ne fait pas plaisir par cet acte à ses parents, il n'exprime pas pour autant une désaffection envers eux. L'enfant ne cherche pas « consciemment » à les blesser en refusant de goûter, loin de là. Il est simplement encore trop lié à son plaisir immédiat. Les parents ne doivent donc pas le condamner lui, mais bien son geste.

Dangers autour de l'alimentation ?

Beaucoup de psychologues pensent, à tort selon moi, que l'autorité ne doit jamais passer par l'alimentation. Le fait de priver un enfant de dessert ou de le forcer à goûter un aliment pourrait selon eux entraîner des troubles comme l'anorexie. D'autres pensent que l'autorité à table déstabilise l'enfant et castre sa relation avec ses parents, l'alimentation représentant, à leurs yeux, un terrain affectif symbolique très fort.

■ Une réponse de l'environnement bénéfique pour l'enfant

Au fil du temps, ces comportements deviennent des automatismes pour l'enfant. Bien sûr, sur l'instant, il y a de fortes chances qu'il ne comprenne pas pourquoi on le force à goûter un aliment dont il n'a pas envie. Mais cette phase dite de réponse de l'environnement lui apprend que, malgré son opposition, malgré sa tentative d'expression de soi, son

© Groupe Eyrolles

entourage (et plus tard la société) ne répond pas toujours de manière favorable à ses demandes. Pourquoi les adultes ont-ils besoin d'un permis à points, d'un Code civil ou d'un Code pénal ? C'est bien la preuve que ce principe de réalité, le respect de l'autre, le respect de la règle ne sont pas des choses naturelles, innées. Comment un enfant en bas âge pourrait-il prendre conscience de quelque chose en se disant « Si mes parents m'ont dit ça, c'est bien parce que je suis en train d'inscrire le sentiment de l'autre, le lien à autrui dans ma tête » ? Il s'agit donc d'apprentissages qui se font progressivement, et ces apprentissages participent à lui faire intégrer toutes ces choses qui ont été exigées, demandées, régulées par ses parents. C'est la notion de la réalité, la présence et le respect de l'autre…

Mais ce « jugement moral » n'intervient pas tout de suite. Comme l'enfant n'a pas conscience de lui avant 18 mois, il apprend doucement la vie. Ainsi, lorsque ses parents ne cèdent pas, l'enfant se construit, non pas dans le refus et l'opposition, mais bien dans l'intégration des règles et du respect d'autrui. Il s'accorde peu à peu avec l'environnement. Dans le cas contraire, si l'environnement s'adapte toujours à l'enfant, celui-ci va développer une omnipotence, une toute-puissance sur le principe de réalité qui ne fera que croître avec le temps. C'est ce que nous, professionnels, pouvons observer plus tard, chez des adolescents qui dérapent, en observant comment a vécu l'enfant lorsqu'il était petit. Il est impossible de demander à un adolescent de s'accommoder au réel si ses parents ont laissé passer beaucoup d'interdits, de refus, de frustrations lorsqu'il était petit.

Le même menu pour tous

S'il s'agit bien évidemment de varier les repas afin de proposer un maximum d'aliments aux enfants, il ne faut pas tomber dans le piège du menu à la carte. Souvent, les parents acceptent de donner à leur enfant son plat favori dès qu'il a goûté un nouvel aliment. Non, il faut s'en tenir à un menu unique. Si l'enfant n'aime pas le plat, ce n'est pas grave, il mangera un peu moins que les autres soirs. Car s'il obtient son plat de pâtes à chaque fois qu'il teste un nouveau plat, il ne prendra jamais la peine de manger réellement cet aliment puisqu'il se dira qu'il suffit de goûter un peu pour obtenir ce qu'il aime. Il se contentera ainsi d'une petite portion et n'acceptera jamais de prendre la part en entier.

Les outils de PsychoEnfants

■ Le petit cuisinier

Faire participer votre enfant à la préparation du repas est toujours bénéfique. Tout d'abord, cela contribue à son apprentissage de la réalité. En effet, le petit découvre qu'un plat n'arrive pas tout prêt dans l'assiette, qu'il faut du temps, une préparation. De plus, votre enfant aura plus de facilité à goûter un plat qu'il «maîtrise», c'est-à-dire dont il connaît les ingrédients. Et il sera en outre tout fier de manger ce qu'il a lui-même préparé. Les aliments ont toujours meilleur goût quand c'est nous qui les avons cuisinés... Vous ne devez donc pas hésiter à en rajouter un petit peu pour féliciter votre enfant et lui dire à quel point vous appréciez ce que vous mangez.

■ Jouez sur la présentation des plats

Pour faire manger des aliments souvent rejetés par les enfants, un peu de ruse peut être utile. Prenez le temps de transformer son plat en dessin. Ainsi, des haricots verts se transformeront dans son assiette (visage, bonhomme, maison), une purée prendra la forme du soleil ou deviendra un puits dans lequel vous pourrez verser de la sauce, une part de melon deviendra un bateau sur lequel naviguent des pirates. Il ne s'agit pas de jouer avec la nourriture mais de lui donner un côté plus vivant, plus «rassurant» pour votre enfant. Ce dernier conseil peut toutefois lui donner une mauvaise habitude : aménager la réalité pour qu'elle soit plus digestible... Prudence donc !

■ Variez amer et sucré

Nous l'avons vu, il faut très tôt habituer votre enfant à goûter de nouvelles choses lorsqu'il passe à l'alimentation solide. Sinon, le risque est qu'il se familiarise avec des goûts un peu trop doux ou trop sucrés, comme les petits pots tout préparés par exemple. Il faut donc alterner des aliments qui peuvent avoir un goût sucré pour lui faire plaisir avec d'autres au goût plus amer (épinards, brocolis ou haricots). Vous pouvez initier votre enfant très tôt, avec des aliments moulinés, à des goûts variés.

■ Le marché des découvertes

Pour que votre enfant puisse mettre un nom sur les légumes ou les fruits que vous lui proposez, il n'y a rien de tel que de l'emmener faire un tour au marché le dimanche matin. Faites-lui découvrir les différents étals, montrez-lui les produits, faites-le toucher, sentir. Et dès qu'il semble attiré par un nouvel aliment et qu'il promet de le goûter, n'hésitez pas à l'acheter et à le préparer avec lui une fois de retour à la maison. De même, lors d'une promenade à la campagne, vous pouvez montrer à votre enfant où et comment poussent tel fruit ou

tel légume. Et si vous avez un jardin, c'est le paradis : l'enfant qui plantera la graine de salade et qui attendra des jours pour la récolter en raffolera dès qu'il l'aura dans son assiette !

■ Ni vu ni connu

Le fait d'essayer de dissimuler des légumes, comme des petits pois par exemple, dans une cuiller de purée ne fonctionne que très rarement. Le plus souvent, l'enfant s'en rend compte assez rapidement et refuse alors de finir son assiette. Plutôt que risquer de lui couper toute envie de manger, glissez les ingrédients qu'il refuse habituellement de goûter dans une quiche ou une tarte. Ils passeront inaperçus.

■ Le découpage des besoins alimentaires

Il est souvent difficile de faire prendre conscience aux enfants qu'un bon équilibre alimentaire est important. Pour le sensibiliser dès le plus jeune âge, créez avec votre enfant le tableau des besoins alimentaires. Faites-le découper dans des magazines une multitude d'aliments (poulet, hamburger, yoghourt, salade, lentilles, carottes, frites). Puis, chaque jour, en rentrant de l'école, demandez-lui de coller sur le tableau ce qu'il a mangé le midi à la cantine. À vous maintenant de composer avec lui le menu du soir de telle sorte que le repas soit équilibré. Par exemple, s'il a eu des frites le midi à la cantine, il devra manger des haricots verts le soir... Vous éviterez ainsi les crises de la part de votre enfant car il sera lui-même à l'origine du menu, et vous éviterez de crier parce que votre enfant refuse de manger.

■■■

Parents au bord de la crise de nerfs

Chapitre
6

« Lorsque je rentre de mon travail, je retrouve ma fille, Caroline, 4 ans. Et il est vrai qu'après une journée de travail épuisante, je n'ai qu'une envie : me reposer. Mais j'ai l'impression qu'à ce moment-là, ma fille déborde d'énergie. Elle crie, gesticule dans tous les sens, court, saute. J'essaie de la calmer un peu mais le ton monte assez vite. Comment faire pour réussir à la calmer sans passer pour la rabat-joie de service ou celle qui n'aime pas ses enfants ? »

Dans les « nouvelles façons d'éduquer », les parents ont de plus en plus souvent affaire à des personnes, en dehors de la famille, qui sont de véritables professionnels, c'est-à-dire dont le métier est de s'occuper de l'enfant, qu'il s'agisse de nourrices, assistantes maternelles, auxiliaires de puériculture, instituteurs. Lorsqu'ils rencontrent des difficultés à la maison, les parents s'interrogent : « Je ne comprends pas, à la crèche ou à l'école ça se passe bien », « Chez la nounou il ne fait pas toutes ces histoires ». Mais la différence réside précisément dans le fait que la nounou est une professionnelle, que son métier est d'être en permanence présente pour l'enfant. Or, quand les parents rentrent du travail, ils n'ont pas forcément envie d'être professionnels. Ils n'ont pas envie de tout faire, de reprendre plusieurs fois leur enfant, de lui demander sans cesse d'écouter. Mais cela peut être dit à l'enfant.

■ Anticiper pour ne pas craquer

Un parent a tout à fait le droit d'être fatigué, la fatigue fait partie de la réalité des sentiments, des ressentis et des émotions. Il est toujours bon de l'exprimer à son enfant, de lui dire par exemple : « Écoute, je suis épuisé, je n'ai pas le temps de jouer avec toi », « Je n'ai pas envie de me bagarrer ce soir, je reviens du travail ». Ce que l'enfant ne comprend pas, la plupart du temps, c'est pourquoi certains adultes, comme les nounous ou les assistantes maternelles, instituteurs, sont toujours très disponibles dans la journée, tandis qu'il retrouve le soir ses parents énervés, qui lui demandent de se presser, font les courses à toute vitesse ou lui font à peine un bisou.

Le meilleur moyen de gérer son stress dû à la fatigue est d'anticiper. À partir du moment où les parents savent que la semaine risque d'être chargée et leur temps limité (cela est d'autant plus vrai lorsque les deux parents travaillent), ils peuvent très bien expliquer à leur enfant leur rythme, le prévenir qu'ils ne seront pas autant disponibles que la nounou mais que tout s'arrangera le week-end parce qu'ils auront alors un peu plus de temps à lui consacrer. Le parent peut ainsi expliquer à son enfant qu'il y aura des moments où il sera un petit peu énervé, pas forcément disponible, où il n'aura pas le temps de jouer.

Mieux vaut ainsi expliquer cela à votre enfant plutôt que de vous sentir coupable ou mauvais parent... Rappelons-nous qu'autrefois on s'occupait très peu des enfants, on ne jouait pas avec eux, et qu'ils étaient souvent mis à l'écart.

D'un côté, les parents doivent donc arrêter de penser que, sans une présence adulte, tout va s'effondrer. Et, d'un autre côté, l'enfant doit apprendre que les adultes ont aussi leur propre vie. Et dès lors que les parents expliquent clairement à leur enfant qu'ils sont disponibles, mais pas tout le temps, seulement lorsqu'ils auront un moment plus tranquille, il est possible de faire en sorte que l'enfant s'occupe seul ou avec ses frères et sœurs, et cela dans le calme, sans avoir besoin de hausser la voix.

Anticiper les moments à haut risque pour l'enfant

La vie d'un enfant n'est pas toujours rose, et il est des moments où il a plus besoin d'attention. Cela peut survenir lors de changements soudains dans sa vie quotidienne ou lorsque ses parents modifient de façon «brutale» ses habitudes. Voici quelques exemples de moments à haut risque pour l'enfant :

- les changements dans les ressources de la famille ;
- une perte d'emploi d'un des parents ;
- les moments de conflits familiaux ;
- les déménagements ;
- les changements d'école ;
- une nouvelle naissance ;
- les décès ou maladies dans la famille.

■ Casser la relation pour ne pas se casser la voix

Les parents doivent prendre conscience que lorsqu'ils sont sur le point de crier sur leur enfant, c'est qu'ils sont fatigués, excédés. Or, avoir de l'autorité lorsqu'on se trouve dans un état de fatigue est difficile parce que l'on réagit à l'émotionnel. Dès lors, la seule réponse devient le hurlement, alors qu'il y a d'autres choses à faire avant. Il faut ainsi comprendre que si l'enfant se retrouve dans un tel état d'excitation, c'est peut-être parce que ses parents ont répondu à l'une de ses demandes immédiates alors qu'il n'était pas prêt, ou bien parce qu'ils ne se sont pas rendu compte que jouer à un moment où il fallait faire autre chose revenait à stimuler l'omnipotence de l'enfant... Les parents en colère ont souvent des pensées irrationnelles : « Mon enfant devrait obéir, il ne devrait pas tout le temps piquer sa crise », « Il devrait comprendre que nous avons tout fait pour lui ».

La meilleure solution, lorsque les parents sentent qu'ils sont sur le point de hurler, est d'isoler leur enfant dans sa chambre, le fameux *time-out* selon les Anglo-Saxons. Il faut interrompre la relation, instaurer une période de calme. Monter trop haut dans les décibels n'est bon ni pour l'enfant ni pour le parent. Ce dernier se sentira sans aucun doute soulagé d'extérioriser sa colère ou son exaspération, mais ce soulagement ne sera que temporaire. De son côté, l'enfant a de grandes chances d'obéir, mais là encore, cela ne durera pas. Rares sont les enfants qui se calment de manière « définitive » après que leurs parents les ont disputés. Lorsqu'un parent crie, l'enfant

© Groupe Eyrolles

le ressent comme de l'agressivité. Il ne va bien entendu pas se dire : « J'ai poussé à bout mes parents alors je comprends leur colère, c'est normal qu'ils me crient dessus, j'ai ma part de responsabilité. »

Il s'agit donc une fois de plus d'exercer son autorité en amont. Se sentant sur le point de crier et ayant isolé leur enfant, les parents peuvent prendre un verre d'eau et essayer de réfléchir entre conjoints aux raisons qui les ont amenés à se mettre dans cet état-là. Les parents doivent reprendre calmement les choses et ne pas vouloir tout changer le soir où ils sont énervés. Il vaut en effet mieux se dire : « On en reparle demain, nous sommes en train de considérer de mauvaises hypothèses. » Si au bout de quelques minutes d'isolement, leur enfant se calme, il est important d'aussitôt positiver les choses et que les parents l'invitent à les rejoindre, à le faire participer à la préparation du repas ou à s'occuper de sa petite sœur par exemple. Dans le cas contraire, si l'enfant continue dans l'escalade de sa colère, la période de retrait doit être prolongée.

L'enfant tyran

On connaissait l'«enfant roi», ce jeune qui dictait sa loi dans la maison et qui arrivait à faire en sorte que ses parents le considèrent comme le centre de la famille. L'enfant tyran va plus loin encore. On désigne sous ce terme les enfants qui ont acquis une véritable omnipotence au sein de leur foyer, c'est-à-dire que toutes les attentions sont portées sur eux et dirigées vers un seul but : leur faire plaisir et répondre à toutes leurs demandes, toutes leurs sollicitations. L'enfant tyran décide d'absolument tout : l'endroit où il va dormir, le moment où les parents arrêteront de jouer avec lui, ce qu'il va manger au dîner. Les parents n'ont pratiquement plus d'emprise sur l'enfant qui rejette toute forme d'autorité qui serait contraignante ou ne s'accorderait pas à ses désirs.

Un enfant qui n'a pas de limites, à qui l'on ne dit jamais non, ne trouvera pas sa place au sein de la société, puisque la société, elle, contrairement à ses parents, ne s'attellera pas à exercer la moindre de ses envies. Souvent, les parents d'enfants tyrans pensent que c'est une réaction tout à fait normale et ne voient la dangerosité de la chose qu'une fois que leur enfant a commis un passage à l'acte «fort» (fugue, violence physique ou verbale, insultes).

■ Un modèle parental plus zen

Les parents ne peuvent pas être tout le temps zen, mais la colère peut être saine lorsque les gonds ne sautent pas. La « bonne colère », c'est avoir assez d'adrénaline pour parler fermement à son enfant, prendre une décision d'autorité assurée et ne pas revenir dessus. Si l'un des parents est très inquiet ou angoissé parce qu'il a des soucis à son travail, il ne doit pas croire qu'il va transmettre son stress à l'enfant d'esprit à esprit. L'enfant ne va pas tout absorber comme un buvard, mais il se rendra compte qu'il se passe quelque chose. C'est pour cela qu'il est important de verbaliser ses émotions : « Je suis fatigué », « Je suis inquiet, au travail ça ne s'est pas bien passé ». Inutile d'entrer dans les détails selon l'âge de l'enfant. Il ne va pas comprendre et il serait absurde de l'envahir par votre angoisse du chômage ou d'un patron non conciliant. En revanche, le parent ne doit pas hésiter à dire qu'il se sent fatigué, qu'il n'est pas dans son état normal et que ce soir, il n'y aura qu'un petit bisou et au lit… L'enfant est plus résilient qu'on ne le croit, il peut assister à des choses et faire son petit compte-rendu de son côté à partir du moment où ses parents lui en parlent et dédramatisent.

Cependant, il est bien évident que si, tous les soirs, l'enfant voit ses parents énervés, qui ne se sentent pas bien, il va vite assimiler le travail extérieur à l'angoisse, l'injustice… Mais il faut être réaliste, les parents ne sont pas formidables tous les jours. La vie est ainsi faite : il y a des jours sans. Inutile donc d'essayer d'être calme et joyeux si vous vous sentez angoissé, d'essayer d'être tempéré si vous êtes en colère… Vous pouvez montrer la réalité des choses à votre enfant sans bien sûr déborder, ni le violenter ou l'humilier par des mots (du type « mais qu'est-ce que tu es nul ! »).

Ne jamais...

Faire preuve d'autorité ne signifie pas maltraiter ou rabaisser son enfant. Ainsi, attention à ne jamais :

- lever la main sur lui. La violence physique ne résout rien et envoie un mauvais message à votre enfant. Une fessée ou une gifle lui font comprendre que celui qui détient l'autorité est celui qui est capable de frapper le plus fort ;
- dévaluer votre enfant. Il est inutile de dire à votre enfant qu'il est idiot, qu'il n'est pas à la hauteur ou à quel point il vous déçoit. De même, le rabaisser face à d'autres enfants (« Vous avez vu à quel point c'est un bébé ? ») ne fera que diminuer sa confiance en lui. Le but n'est pas d'humilier votre enfant mais bien de l'accompagner dans son apprentissage et sa découverte de la réalité ;
- lui dire qu'il n'est pas à sa place. Il n'y a rien de pire pour un enfant que de découvrir qu'il n'était pas désiré ou que ses parents auraient préféré un enfant de l'autre sexe. Il a alors l'impression de décevoir ses parents et de ne pas être à sa place. Ce sentiment peut être néfaste à son bon développement psychologique car le lien émotionnel entre ses parents et lui peut se trouver rompu ou très fragilisé.

Les outils de PsychoEnfants

■ Le/la même à la maison

Si vous assistez à la colère d'un enfant à l'extérieur (que ce soit lors d'un repas de famille, dans la rue ou chez des amis), n'hésitez pas à dire à votre enfant: «Tu vois, de temps en temps, à la maison, toi aussi tu te comportes comme cela. Tu ne t'en rends pas compte mais quand tu fais une colère parce qu'on t'a dit non, toi aussi tu deviens tout rouge et tu cries très fort.» Certains enfants qui ne visualisaient jusqu'alors pas la colère d'un point de vue extérieur seront «marqués» (pas traumatisés) par la scène.

■ Des périodes de *time-out* bénéfiques

Lorsqu'à la suite d'une colère, vous décidez d'exclure votre enfant de la pièce, vous devez le faire de manière structurée. Commencez par l'envoyer dans sa chambre pendant deux minutes. S'il réussit à se calmer ou s'il réalise qu'il n'a pas été gentil, réintégrez-le à la vie familiale et autorisez-le à reprendre son activité. Si ce n'est pas le cas, prolongez le retrait d'une nouvelle séquence de plusieurs minutes. Évitez néanmoins les «exclusions» longues de plus d'une demi-heure qui n'ont que peu de sens pour l'enfant.

■ La poupée/peluche exemple

Choisissez avec l'enfant une poupée ou une peluche. Celle-ci servira à montrer tous les risques et les dangers domestiques. Par exemple, demandez à votre enfant ce que risque la poupée si elle court dans la salle de bain après la douche. Il vous répondra: «Elle risque de glisser et de se faire très mal.» Il s'agira alors de le féliciter en lui disant que c'est valable pour lui aussi, qu'il ne doit pas courir. De même, demandez-lui ce qu'il faut faire pour ne pas avoir de caries (ne pas manger trop de bonbons et bien se laver les dents).

La peluche et la poupée rendent l'exercice plus ludique.

▦ Le toi puis moi

Lorsque vous rentrez du travail et que vous êtes fatigué, il peut vous arriver de vous énerver pour un rien et surtout, de culpabiliser après coup. Pour cela, organisez-vous ! Lorsque vous rentrez le soir, occupez-vous tout de suite de votre enfant, jouez un peu avec lui, corrigez ses devoirs. Après cela, faites-lui comprendre : «Je me suis occupée de toi, maintenant c'est à mon tour. Tu joues tout seul pendant que maman se repose.» De cette manière, vous vous déculpabilisez vis-à-vis de votre enfant et vous pouvez décompresser en toute sérénité.

■ La complémentarité

Le principe des parents complémentaires est simple : lorsque l'un des parents sent qu'il va craquer, l'autre prend alors automatiquement le relais. Ainsi, le premier peut aller se calmer dans une autre pièce de la maison ou aller faire un tour pour se changer les idées tandis qu'il y a toujours quelqu'un pour veiller sur l'enfant. Du côté de l'enfant, cette complémentarité lui témoigne une certaine sécurité tant affective que «physique», puisqu'il voit que si l'un des parents n'est plus là, l'autre arrive à la rescousse.

78

Gérer les débordements physiques

« Dès que mon fils Jimmy, 4 ans et demi, fait une colère, je m'emporte très vite. Je le dispute, je crie, et finis presque tout le temps par lui donner une fessée… Je culpabilise parce que je ne veux pas qu'il me voit comme quelqu'un de violent, mais c'est parfois plus fort que moi, je n'arrive pas à me contenir. Comment lui faire comprendre qu'il ne peut pas tout faire, sans être hors de moi, à chaque fois ? »

Ce n'est pas parce que les parents ont crié ou qu'ils ont donné une fessée à leur enfant qu'il va être traumatisé à vie. Mieux vaut cependant l'éviter, parce qu'une fois encore, le petit ne peut pas comprendre d'être tout à coup violemment rejeté si ses parents lui ont permis beaucoup de choses auparavant, s'ils n'ont pas su instaurer une autorité en amont. Il faut encore et toujours de la cohérence. Trop crier mène à la violence verbale, aux fameuses fessées, gifles, autant de signes qui sont l'expression d'une impuissance parentale, qui montrent que les parents sont dépassés. S'il n'y a pas de danger de traumatisme, le risque est cependant d'enfermer l'enfant dans des comportements de violence verbale ou de violence physique.

■ Une impuissance parentale

L'autorité ne doit jamais passer par le biais de la fessée. La fessée marque l'aveu de l'impuissance des parents face à une situation et montre que ces derniers ont besoin d'une agression physique pour réussir à stopper leur enfant. Bien sûr ce geste va calmer l'enfant, le faire cesser, mais le message envoyé n'est pas le bon. Il ne faut par ailleurs pas confondre une petite fessée avec une « raclée » ou une « volée ». Non, la fessée n'a rien à voir avec un abus physique. La preuve en est que l'on ne poursuit pas encore pénalement les parents qui fessent leur enfant, en dépit de la demande du docteur Edwige Antier (voir encadré ci-contre). La loi ne dit rien sur la fessée, mais en revanche protège contre les abus corporels.

La fessée représente donc une sorte d'abandon parental, c'est le signe que les parents sont sortis de leurs gonds. N'étant pas parvenus à se faire obéir autrement que physiquement, ils essaient de reprendre le pouvoir par la force, la violence. On constate souvent que lorsqu'un parent connaît un passage violent, c'est que les conditions antérieures ont transformé l'enfant en un petit dictateur qui a eu tout le temps d'installer son pouvoir à la maison. Les parents qui donnent des fessées sont donc, là encore, ceux qui n'ont pas su poser leur autorité en amont.

Il faut alors se poser la question : que s'est-il passé une demi-heure avant cette fameuse fessée ? L'enfant n'a-t-il pas été trop sollicité, trop stimulé ? Les parents ne sont-ils pas restés trop près de lui ? Car c'est généralement dans ce type de situations que les enfants sont très demandeurs, qu'ils n'arrêtent pas de parler, de bouger dans tous les sens. Si l'enfant a été très sollicité à la crèche ou à l'école, il n'y a pas de règle qui dise qu'il faille continuer. Il faut lui dire : « Non, on arrête là, cela te paraît injuste mais c'est comme ça ! » Or certains parents s'obligent à tenir le discours inverse et disent à leur enfant : « Calme-toi, joue un peu, je te fais un petit câlin et après tu te calmes parce que j'ai autre chose à faire. » Dans ce cas-là, l'enfant ne comprend plus, parce qu'il ne peut pas s'arrêter en un claquement de doigts, tout d'un coup. Et c'est souvent à cet instant que survient la fessée. Se laisser déborder n'a rien d'horrible ni de scandaleux, l'enfant n'en sera pas pour autant traumatisé à vie. Cependant, la fessée ne fait que l'obliger à se calmer, elle ne lui apprend rien.

Le projet de loi d'Edwige Antier

Le 11 novembre 2009, la pédiatre et députée UMP Edwige Antier déposait une proposition de loi devant l'Assemblée nationale afin d'interdire tout châtiment corporel sur les enfants. Ce projet de loi, qui n'a pas, à ce jour, reçu de décret d'application, passait en revue l'ensemble de ces châtiments, qu'il s'agisse des claques, pincements de bras et mouvements brusques, mais c'est bien l'interdiction de la fessée qui était avant tout visée. Pour Edwige Antier, frapper son enfant ne contribue qu'à l'endurcir, qu'à le rendre plus violent à son tour. Un enfant qui reçoit trop de châtiments corporels aura ainsi selon elle tendance à devenir méchant, sournois, ou alors soumis. Elle préconise en lieu et place de la fessée d'envoyer l'enfant dans sa chambre. Selon elle, cette punition est pire encore qu'une violence physique car l'enfant étant tellement en demande au niveau de la découverte du monde, qu'il ne supporte pas d'être privé de ce lien avec ses parents, vu qu'il a besoin d'apprendre. La pédiatre souhaite faire inscrire cette loi dans le Code civil et non le Code pénal. Les parents n'iraient donc pas en prison pour une fessée donnée, mais ils pourraient, à terme, suivre des «stages de parentalité» si leur comportement ne change pas.

■ Un message confus

Généralement, l'enfant ne comprend pas pourquoi il reçoit une fessée parce que le geste est pour lui disproportionné. Du point de vue des parents, il s'agit souvent de la goutte d'eau qui fait déborder le vase. Certains enfants reçoivent ainsi une fessée parce qu'ils ont renversé un verre dans la cuisine, parce qu'ils se tiennent mal à table ou parce qu'ils ont dit un gros mot. Lorsque l'on demande aux parents pourquoi ils en sont arrivés à ce débordement, ils tentent de justifier leur acte en affirmant qu'il s'agit d'une accumulation de petites bêtises, plus ou moins graves : « Avant il s'est bagarré avec sa sœur, et puis encore avant il a fait toute une histoire à la sortie de la crèche… » L'enfant se retrouve donc à payer une addition qui pour lui n'est pas proportionnelle à la faute commise. Il se sent alors agressé et le ressent comme une injustice.

Dans ces cas-là, les parents perdent en autorité. Ils tombent dans l'autoritarisme et l'enfant se sent complètement rejeté parce qu'il ne comprend pas pourquoi il a reçu une fessée pour une petite bêtise qui n'est pas plus grosse que les quinze précédentes. Sans sanction logique, sans signes d'autorité clairs de la part de ses parents, l'enfant continuera de chercher les limites et recommencera dès le lendemain ses provocations pour voir s'il va recevoir une fessée ou non…

Je suis en désaccord avec l'idée qu'il y aurait une jouissance pseudo-anale ou érotique dans la fessée, comme le disent les freudiens. C'est surtout, selon moi, affaire de renforcements : l'enfant, parce qu'il subit des réactions négatives, va chercher à voir jusqu'où ses parents peuvent aller. On tombe alors dans

© Groupe Eyrolles

un cercle infernal de contre-agressivité parce que l'enfant se sent totalement agressé. Plus de parole, plus d'autorité assortie de sanctions logiques, les parents n'expriment plus que du rejet pour leur enfant. Car la fessée est un rejet pur et simple. Son objectif est de punir, faire mal. Le parent essaie ainsi de faire mal à son enfant pour le stopper, agissant alors comme il le ferait avec un animal. La comparaison est rude mais elle est réaliste, il existe bien un lien. Si l'on rosse un animal, il risque de devenir de plus en plus agressif, alors qu'un maître qui sait se faire obéir n'emploie jamais la violence. C'est sensiblement pareil pour les enfants. Si les parents ont su poser les bases de l'autorité en amont, ils n'auront pas besoin d'utiliser la violence pour se faire obéir de leurs enfants.

Il n'y a pas de bonnes fessées

Pour certains parents la fessée est le tout dernier recours en cas de «non-obéissance» de leur enfant. Mais il faut bien garder à l'esprit que la fessée n'est véritablement utile que pour le parent. Elle a sans aucun doute le «pouvoir» de soulager le parent et de calmer l'enfant, mais elle ne fait pas de bien à celui-ci puisqu'elle ne lui apprend rien. Les parents vont se justifier en disant que l'enfant l'a méritée, et généralement, ceux qui donnent des fessées sont également ceux qui en ont reçues lorsqu'ils étaient plus jeunes. Cela peut alors devenir un moyen pour eux de justifier, de «valider» ces débordements physiques qu'ils ont subis étant petits. Difficile en effet de se dire qu'ils ont été fessés pour rien, alors ils reproduisent presque involontairement les schémas familiaux auxquels ils ont été habitués.

■ Ne pas se laisser emporter

Les parents doivent donc apprendre à se contrôler, à gérer leurs excès de colère, découvrir les raisons pour lesquelles ils explosent à un moment donné. Ils ont sûrement dû laisser passer une dizaine de petites transgressions avant et ne conçoivent pas que c'est cette accumulation qui les fait exploser. Ils laissent passer des bêtises qui auraient dû être sanctionnées et, tout d'un coup, lorsque leur enfant passe le énième « stop », ils décident qu'il faut que cela s'arrête. Or, c'est impossible. Un enfant à qui ses parents se contentent de faire des remarques sans jamais imposer de conséquences ne s'arrêtera pas, puisque ses parents ne lui auront pas posé de réelles limites. Ainsi, toutes les petites choses sur lesquelles le parent a cédé vont se transformer en une montée en puissance si l'enfant fait une crise pour ne pas se coucher le soir par exemple. Là, il risque la fessée parce que le parent est à court d'arguments, à court de mots. Et comme l'enfant lui-même est en opposition et qu'il sent que l'adulte en face de lui ne saura bientôt plus quoi dire, il continue. Voilà pourquoi ces moments-là se terminent mal en général. Mais encore une fois, il n'y a pas de conflit sans qu'il y ait tous ces petits passages à l'acte et ces petites prises de pouvoir de l'enfant en amont. C'est alors que le parent doit apprendre à éduquer. Et éduquer, rappelons-le, ce n'est pas de l'autoritarisme, c'est-à-dire se convaincre que l'enfant stoppera une fois que le parent l'aura décidé. Éduquer est un travail long qui se fait par étapes, c'est un mélange d'amour et de frustrations.

Mon enfant se donne en spectacle

Pour que la colère d'un enfant soit prise en compte par ses parents, il faut tout d'abord que ces derniers s'en aperçoivent. C'est pour cela que l'enfant met toute son énergie à se faire entendre à travers des cris, pleurs, énervements, petits coups. Son but est que ses parents remarquent qu'il n'est pas content et d'exprimer qu'il veut que l'on change cette situation. Ceci est d'autant plus vrai lorsque ses amis assistent à la scène : il cherche alors à leur prouver qu'il possède un réel pouvoir décisionnaire. Pour lui faire comprendre qu'il ne peut pas toujours avoir le dernier mot, faites comme s'il n'existait pas ou si vous ne l'entendiez pas. Ignorez-le. Au départ, il sera vexé et criera encore plus fort, ensuite la colère lui passera et il finira par s'allonger dans un coin pour se calmer et se reposer...

Les outils de PsychoEnfants

■ Mettez fin à un comportement inadéquat

Vous pouvez mettre en place quelques «modes d'action» afin de stopper la crise de votre enfant. En adoptant des façons de faire simples, il n'y a aucune raison pour que votre enfant ne respecte pas vos injonctions. Pour cela, il faut :

■ rappeler la règle, quelle qu'elle soit. Vous devez réexpliquer à votre enfant qu'il n'a pas rempli sa part du marché, qu'il n'a pas respecté la règle qui a été dictée, donc vous la lui répétez ;

■ attendre quelques secondes... C'est pendant cet intervalle que votre enfant va prendre la décision de vous écouter ou non. Il connaît la règle, puisque vous venez de la lui rappeler, et il sait qu'il n'a pas obéi. La balle est à présent dans son camp, il est conscient que vous l'observez pour voir la manière dont il va réagir ;

■ si votre enfant obéit, félicitez-le. Il montre qu'il a assimilé la règle,

vous devez donc lui dire que vous êtes content de lui, que vous avez remarqué ses efforts ;

■ si votre enfant persiste dans la désobéissance, les conséquences doivent êtres immédiates, à travers des sanctions, périodes de retrait. Votre enfant connaissait le «risque» en choisissant de ne pas vous écouter, n'ayant pas obéi, il doit être puni.

■ Le tirage au sort

Pour rendre vos demandes plus ludiques et moins contraignantes, présentez-les sous forme de jeu. Créez une boîte mystère dans laquelle vous glisserez des petits papiers sur lesquels vous inscrirez vos recommandations : «Aujourd'hui je range ma chambre», «Aujourd'hui je lave le chien», «Aujourd'hui je mets la table». Pour que votre enfant ne se sente pas lésé et qu'il ne rechigne pas à tirer un papier mystère, glissez également dans la boîte quelques «bons pour» positifs : «Bon pour un gros câlin», «Bon pour deux histoires avant d'aller dormir», «Bon pour une sortie au parc». Votre enfant pourra les utiliser quand il le voudra et acceptera dès lors plus volontiers de participer à ce tirage au sort.

■ Le cahier de l'exemple

Prenez une feuille de papier que vous séparez en deux par un long trait : un côté pour vous et l'autre... pour vous également ! Notez dans la première colonne de la feuille les valeurs que vous voudriez transmettre à votre enfant : calme, sérieux, joie, respect des règles. Notez dans l'autre colonne ce qui vous définit le mieux : anxieuse, impulsive. Ensuite, prenez le temps de comparer les deux colonnes. L'idée est ici de vous faire prendre conscience de la cohérence de vos attentes éducatives en fonction de ce que vous montrez de vous à votre enfant. Car il faut faire preuve de bonne foi : vous ne pouvez

pas dire à votre enfant qu'il lui est formellement interdit de lever la main sur vous ou sur ses frères et sœurs si deux jours avant vous lui avez administré une gifle ou une fessée sous le coup de l'émotion. En effet, il faut rester cohérent dans vos propos et dans vos actes et préférer ne pas donner de leçons de morale si vous-même n'êtes pas capable de les respecter. Encore une fois, l'enfant se développe en suivant des modèles qui sont ses parents.

■ Maîtrisez la mise à plat

Au même titre qu'on isole un enfant lorsqu'il fait une bêtise, n'hésitez pas à prendre du recul au moment où vous sentez que vous allez craquer. Isolez-vous dans une autre pièce, buvez un verre d'eau, criez un bon coup dans un oreiller s'il le faut et revenez pour vous expliquer avec votre enfant. Les discussions sont toujours plus constructives lorsqu'elles se déroulent dans un climat détendu. De plus, vous pouvez tout à fait dire à votre enfant: «Tu vois, je me suis énervé, alors j'ai été dans une autre pièce pour me calmer, comme lorsqu'on te demande de faire pareil.» Vous montrez l'exemple et devenez alors à ses yeux la preuve que ce système fonctionne.

Papa/maman, chacun son rôle ?

Chapitre
8

« Je suis une mère célibataire et j'élève seule mon fils Anthony, 5 ans. J'avoue qu'il est parfois difficile pour moi de bien l'éduquer car je n'arrive pas toujours à jouer à la fois le rôle du père et celui de la mère. Le papa d'Anthony ne vivant pas avec nous, lorsque mon fils fait une colère, je suis obligée de le disputer comme le ferait un père. Et après ces moments forts et tendus, je ne sais plus trop comment réintégrer mon rôle de mère, sans pour autant le consoler et m'excuser d'avoir crié. »

L'enfant n'a pas nécessairement besoin d'un parent fort et d'un parent plus doux pour se construire. Il peut tout à fait retrouver l'image de la force et de la douceur dans la même personne. L'idéal est sans doute de retrouver un peu de tout, mais l'enfant n'a pas forcément besoin d'avoir été comblé d'une façon « maternante » par la mère et d'avoir été « boosté » d'une manière virile par le père. L'enfant se construit en rencontrant chez un individu cet équilibre entre amour et frustration, quelqu'un qui lui dit « Je t'aime, je crois en toi, mais de temps en temps j'exige, j'interdis, je contrains, je frustre ». Il ne s'agit donc pas du tout d'une question d'images parentales prédéfinies. L'important est de regarder qui fait ces choses-là, et quelquefois il s'agit de la même personne, comme c'est le cas dans les familles monoparentales. Certains y arrivent très bien.

■ Père-mère, des rôles prédéfinis ?

Traditionnellement, la mère serait plus nourricière et le père plus ferme. Mais nous voyons bien aujourd'hui que ces vieilles idées sont en train de voler en éclats. D'ailleurs, si l'on devait parler en termes de clichés, le mauvais rôle dans l'éducation reviendrait non pas au père mais bien à la mère. Car c'est elle qui est constamment avec l'enfant et qui assiste à la multitude des petites transgressions, des petites exigences que l'enfant essaie de contourner. C'est ainsi le parent le plus présent qui devrait faire preuve de plus d'autorité, parce que c'est au quotidien que l'enfant teste ses limites et expérimente les : « On m'a dit ça, je n'ai pas envie », « J'essaie de séduire, j'essaie de contourner la règle ».

L'autorité ne se réduit donc pas à une histoire de genre, ce n'est pas masculin d'un côté, féminin de l'autre. On le voit bien dans les couples homosexuels, par exemple aux États-Unis dans les États où l'adoption est relativement facile, où un nombre incalculable d'hommes se disent très satisfaits d'avoir un rôle dit « maternant ». Et même dans les couples hétérosexuels, si au départ c'est la femme qui donne naissance, certaines d'entre elles ne se sentent pas très « maternantes », et beaucoup de jeunes époux sont ravis de donner le bain, de nourrir leur enfant et de faire des choses dites « féminines » au départ.

Je ne crois d'ailleurs pas du tout à l'idée d'instinct maternel. Je rejoins ainsi la sociologue Isabelle Balat, pour qui la question des genres est une histoire sociologique. La véritable question est de savoir quel parent est le plus présent et lequel fait appliquer les règles. L'autorité ne se résume pas au père qui vient de temps en temps crier un bon coup ou élever la voix pour montrer qu'il est présent et qu'il s'implique. Il s'agit là d'autoritarisme, c'est l'incarnation du « mâle-cowboy », comme on pouvait en rencontrer il y a quelques années avec ces pères qui ne s'occupaient jamais de leurs enfants et qui hurlaient de temps en temps pour remettre de l'ordre. Ce n'est pas de l'autorité puisqu'il n'y a pas de présence, pas de stimulation, et l'on ne peut pas avoir d'autorité si l'on ne fait pas de choses positives, stimulantes et valorisantes.

Valoriser son enfant, mais pas trop !

Lorsqu'un enfant réussit dans quelque chose qu'il entreprend, il est important de le féliciter et de l'encourager. Cela flatte son ego et renforce par la même occasion son estime de soi. Un petit cadeau ou une photo souvenir sont toujours les bienvenus. Attention toutefois à ne pas survaloriser votre enfant. Si vous le féliciter au moindre de ses faits et gestes, premièrement vos encouragements n'auront plus du tout de valeur à ses yeux (si un « Bravo, tu as eu une très bonne note à l'école » équivaut à un « Bravo, tu as fini ton yoghourt à midi »), deuxièmement vous ne l'aidez pas puisque vous l'habituez à ce que le monde entier s'extasie à chaque fois qu'il fait quelque chose. Or ce ne sera pas le cas dans sa vie future et il risque de vite tomber de son piédestal.

■ De nouveaux schémas familiaux ?

Si l'un des deux parents était plus légitime que l'autre pour asseoir son autorité, comment certains enfants pourraient-ils bien évoluer au sein des institutions ou des orphelinats ? Il ne s'agit donc pas d'une histoire de père ou de mère, mais bien d'adultes qui sont présents, qui aiment l'enfant, s'occupent de lui et ont des exigences envers lui. Bien que nous vivions au XXIᵉ siècle, nous aurions beaucoup à apprendre de ces mères américaines des classes privilégiées qui, dans les années 1930, avaient la même vie que certains hommes et ne s'occupaient pas plus de leurs enfants que les pères.

On assiste de nos jours à un retour en force de cette vieille philosophie naturaliste selon laquelle la nature ayant voulu que ce soit la femme qui enfante, c'est à elle de s'occuper au maximum de son bébé. En découle une psychologie naturaliste qui veut que les femmes soient faites pour faire des enfants et qu'elles doivent les éduquer avant d'essayer de s'insérer dans la société. La relation avec la mère serait ainsi fondamentale pour la construction de l'enfant. Mais cela signifie également que les mères seraient forcément coupables de tous les tourments rencontrés par les enfants. Tout cela est absurde selon moi. De nombreux enfants sont par exemple nourris au biberon par leur père et s'en portent parfaitement bien.

Dire qu'il faut tel et tel pour éduquer l'enfant tient donc de la théorie œdipienne farfelue. Il s'agit une nouvelle fois de théories absurdes, comme on le voit avec la quantité de cli-

© Groupe Eyrolles

chés existant sur les enfants élevés seuls par leur mère. L'un deviendra homosexuel tandis que l'autre sera un enfant roi parce que sa mère manquait d'autorité ; un autre encore sera complètement sociable parce qu'il a vu que la vie était dure pour les personnes seules… Il s'agit là du déterminisme familial vu par la psychanalyse pour lequel s'il y a du manque, des carences, des absences au niveau de l'image parentale, l'enfant sera cassé. C'est complètement faux.

Les règles doivent être faciles et peu nombreuses

Il est inutile d'instaurer des dizaines de règles. L'enfant ne pourra de toute façon pas toutes les retenir s'il y en a trop. De même, il ne faut pas qu'une règle vienne en annuler ou en modifier une autre. Par exemple, il ne faut pas dire à votre enfant qu'il aura un dessert uniquement lorsqu'il aura terminé ses légumes si, dans la même semaine, vous faites trois exceptions. Votre enfant ne doit pas pouvoir se dire « J'ai eu le choix, mes parents ont cédé » ou « J'ai pu contourner la règle ». Sinon, c'est toute votre autorité qui est remise en cause.

■ Le déterminisme n'existe pas

Le comportement d'un enfant est une sorte de mélange entre susceptibilités génétiques héritées de ses parents (donnant naissance à des tendances) et tempérament appris par mimétisme lors d'interactions avec ses parents mais aussi avec la culture environnante. Un enfant né dans un environnement social où ses parents sont alcoolisés et au chômage ne va ainsi pas recevoir la même éducation qu'un enfant né dans le 16e arrondissement de Paris avec une bonne à domicile et des parents qui gagnent bien leur vie et sont satisfaits de leur emploi. C'est une question de modèles familiaux. Mais attention, cela ne veut pas dire non plus que parce qu'un enfant vit dans un contexte familial défavorisé, il deviendra délinquant ou chômeur ! Cela signifie simplement qu'il faut tenir compte du contexte affectif, familial, sociologique, personnel et génétique de l'enfant, car l'ensemble de ces éléments participent à la construction de sa personnalité. Mais il n'y a pas de déterminisme.

La psychologie classique a mis une pression terrible sur la société en disant qu'en cas de manques dans la petite enfance, comme un modèle parental (masculin ou féminin) bien défini, l'enfant sera brisé pour toute sa vie et ne pourra pas se construire du mieux possible. C'est absolument faux. Rien n'est figé de la naissance à 6 ans comme on a voulu nous le faire croire. L'inconscient « produit », c'est-à-dire que si un enfant carencé entre 0 et 5 ans rencontre un oncle ou une famille d'accueil qui lui donnent beaucoup d'amour, il produira peut-être, inconsciemment, des images beaucoup plus positives sur la vie en général, les images parentales, et sur sa future fonction de père.

Les outils de PsychoEnfants

◼ Le mot magique

Un enfant qui entre dans un moment d'énervement et un parent qui sent qu'il ne va pas tarder à exploser, voici une situation commune qu'il est possible de prévoir et de préparer. Il peut être utile que vous discutiez avec vos enfants de ces moments où la colère est près d'éclater. Pour l'éviter, il suffit de déterminer un mot (rigolo) qui sera choisi par les enfants, par exemple «soucoupe». Il est important d'expliquer que lorsque vous prononcerez ce mot, cela signifiera que vous êtes sur le point de crier. L'enfant devra alors se calmer lorsqu'il l'entendra, car il sait que si vous dites le mot magique et qu'il ne se calme pas, il sera puni. Il est par conséquent indispensable d'utiliser ce mot à bon escient et pas n'importe quand.

◼ Le « ding » final

Lorsque votre enfant entre dans une grosse colère et que vous ne savez plus comment le calmer, dites-lui ceci: «D'accord, je te laisse pleurer et exprimer ta colère pendant encore trois minutes, mais une fois que ces trois minutes sont passées, on oublie et on passe à autre chose...» Pour que cela soit plus efficace, il suffit de mettre un minuteur en marche. Le tic-tac de l'objet détournera l'attention du petit, qui ne saura même plus pourquoi il avait commencé sa colère.

◼ Le code des bonnes conduites

À l'image du Code de la route, attribuez des feux de couleur (rouge et vert) suite aux actions de votre enfant. Lorsqu'il se comporte bien ou qu'il accepte l'une de vos demandes (goûter un aliment par exemple), il aura droit à un feu vert. À l'inverse, s'il fait une bêtise ou qu'il refuse d'obéir (il ne veut pas ranger sa chambre par exemple), il sera gratifié d'un feu rouge. Lorsqu'il aura atteint le quota de trois feux, une conséquence (positive ou négative) sera mise en place. Vous pouvez également le sensibiliser au compromis en lui demandant de choisir, lorsqu'il fait quelque chose de bien, entre gagner un feu vert ou en supprimer un rouge.

■ Le découpage concentration

Pour que les devoirs du week-end ne deviennent pas un moment pénible, tant pour votre enfant que pour vous, essayez de lui expliquer qu'il est important qu'il se concentre un petit peu (fixez un temps limité, par exemple dix minutes). Dites-lui alors : «Tu restes concentré dix minutes et après, je te laisse aller jouer. Si, en revanche, tu ne respectes pas cela, si tu ne te concentres pas pendant ce temps imparti, alors on le prolongera un peu plus longtemps.» Si votre enfant respecte ce temps de concentration, alors il pourra faire ce que bon lui semble ensuite. Enfin, si les devoirs ne sont pas terminés, prévenez-le que dans une demi-heure, il faudra de nouveau qu'il adopte le même comportement. Le but est de réussir à convaincre votre enfant sans que celui-ci ne se montre

totalement réfractaire au travail scolaire. Cela facilitera tant sa concentration que son application.

■ Les contrôles maison

Certaines écoles privées donnent des devoirs à la maison dès l'entrée au CP, voire en fin de grande section. Si vous sentez que votre enfant a du mal à retenir les leçons qu'il a apprises à l'école, n'hésitez pas à tester ses connaissances en lui faisant faire de petites «interros maison». Tant ludiques que pratiques, ces exercices permettent à votre enfant d'appréhender de manière plus sereine l'apprentissage de ses leçons, dans un climat moins «stressant» que celui de l'école. En effet, le fait qu'il y ait moins d'enjeux pour lui (pas de mauvaise note à la clé s'il se trompe) le mettra dans de meilleures conditions pour travailler. Vous pouvez également «booster» son envie de bien faire en rajoutant des «récompenses», s'il réussit ces vérifications de connaissances (sortie au parc le week-end suivant).

Développer l'autonomie de son enfant

« Mon fils Kevin, 6 ans, refuse de ranger sa chambre. Lorsqu'il veut commencer un nouveau jeu, j'estime normal qu'il range celui avec lequel il s'amusait jusqu'alors. J'ai de nombreuses fois essayé de le lui expliquer, mais c'est toujours la même rengaine, il me dit qu'il ne sait pas le faire. Je commence alors avec lui, mais très vite, il s'arrête et me dit qu'il ne sait pas où ranger telle ou telle affaire. Je finis par m'énerver et par tout ranger toute seule. Comment le sensibiliser aux tâches domestiques ? »

Il faut que Mélanie, la maman de Kevin, lui explique qu'il n'est pas tout seul. Nous vivons en société, il doit donc apprendre à respecter une sorte de convention collective… Dans un lieu commun on range ses affaires, par conséquent lorsqu'un enfant veut s'opposer à cette règle, il faut savoir le contraindre parce qu'on ne peut pas faire ce que l'on veut. L'enfant vit chez les parents, c'est la philosophie de vie des parents, il doit la respecter. Si l'enfant refuse, on peut lui réexpliquer les règles de la maison, pourquoi on lui demande de les respecter, ce qui permet également de lui montrer qu'il y a toujours un but derrière la demande des parents, même s'il croit qu'on le contraint gratuitement, pour l'embêter. Et si le refus persiste, il n'y a alors plus à discuter et il faudra remettre en cause ou supprimer des petites libertés. Lorsque l'on apprend à un enfant de 2 ans à ranger gentiment sa peluche ou ses jeux le soir avant de dormir, il ne verra aucun inconvénient, un an après, à ranger son jeu de construction. Cela sera devenu une habitude. Il est préférable de lui faire prendre certaines habitudes pour lui inculquer le principe de réalité.

■ Autonomie dans le plaisir et autonomie dans la réalité

Il faut veiller à ne pas confondre l'autonomie dans le plaisir et l'autonomie dans la réalité, et c'est cette dernière qui doit être privilégiée. L'enfant est-il capable, tout seul, devant un exercice difficile, de se remotiver ? C'est cela l'autonomie dans la réalité, et non le fait qu'il soit capable de jouer à un jeu tout seul dans sa chambre, ce qui est l'autonomie dans le plaisir, beaucoup plus facile. L'enfant doit ainsi très tôt acquérir la notion d'autonomie dans ce qui est contraignant. Est-il assez autonome pour qu'il ne soit pas nécessaire de lui demander cinq fois de ranger sa chambre par exemple ? C'est sur ces petites choses que le parent doit être vigilant, et considérer que son enfant est assez grand pour pouvoir faire des choses et qu'il comprenne par lui-même qu'il peut les faire sans qu'il y ait toujours un adulte derrière lui.

Les enfants les plus autonomes ne sont pas forcément les plus dociles, silencieux, timorés, timides, ceux qui vont accepter le rythme du groupe, certaines habitudes... Et inversement, ce n'est pas parce qu'ils sont dociles et « clonés » qu'ils suivent le rythme mais parce qu'ils sont déjà autonomes face aux frustrations.

Une fois encore, les parents ne peuvent espérer d'autonomie chez un enfant de 6 ans s'ils n'ont pas cherché à le rendre autonome quand il était plus petit. Si un enfant n'a pas été habitué à jouer seul quand il avait un an, pourquoi accepte-

© Groupe Eyrolles

rait-il de le faire trois ans plus tard ? Il ne peut pas devenir autonome si ses parents ne le lui ont pas appris.

L'autonomie s'apprend très tôt et s'acquiert progressivement. Il serait ainsi absurde de demander à un enfant d'un an et demi de se débrouiller tout seul pour se lever, se coucher, dormir. Mais le parent peut en revanche instaurer très tôt de petites habitudes d'autonomie : à trois ans, il peut s'habiller seul si les vêtements sont bien choisis et présentés, il peut également commencer à se brosser les dents sous contrôle parental, mettre certains ustensiles sur la table, arroser quelques plantes du jardin. S'il a appris à être un peu plus distancié, moins dans le principe de plaisir, il y a des chances pour qu'à l'âge de 7 ans environ, il accepte plus facilement les contraintes de la vie et qu'il soit plus sage.

Éviter les « Tu n'y arriveras pas, tu n'es encore qu'un bébé »

Même si ce type de phrases peut être perçu de prime abord comme un encouragement, un défi destiné à motiver l'enfant, il peut être, chez certains petits, assez néfaste. Certes l'enfant se sent investi d'une mission, mais il entend en même temps, même si ce n'est que sous-jacent, que ses parents n'y croient pas, qu'ils ne l'en croient pas capable. Bien sûr, si l'enfant relève malgré tout le défi et qu'il le réussit, il sera tout fier, mais si l'inverse se produit, c'est-à-dire s'il ne réussit pas, alors il se confortera dans l'idée que ses parents viennent d'évoquer, à savoir : « Tu n'es qu'un bébé. » Ce genre de phrase ne le brisera pas à vie, mais elle pourrait, à court terme, avoir une répercussion sur sa confiance en lui.

■ Autorité du parent ou autonomie de l'enfant ?

Beaucoup de personnes font l'amalgame, comme s'il y avait une sorte de système de vases communicants, entre le parent qui fait preuve d'autorité et l'autonomie de l'enfant. Mais, comme nous l'avons vu, il ne faut pas confondre autorité et autoritarisme. Un parent faisant preuve d'autoritarisme décide de tout à la place de son enfant, pense à sa place et essaie de brider sa volonté, donc son autonomie. La bonne autorité, c'est celle qui va favoriser l'expression de soi de l'enfant, ses demandes un peu personnelles, très subjectives, mais c'est aussi celle qui va lui apprendre la réalité. Il est bien évident qu'au début, c'est bien sûr l'autorité adulte qui oblige l'enfant à une certaine autonomie, par exemple dans le déplaisir en lui disant « Tu dois te laver les dents tous les jours », c'est là une obligation parentale. Mais la nuance est que ceci va l'amener un jour à se brosser les dents tout seul et à comprendre que, s'il le fait, c'est par hygiène, pour éviter d'avoir des caries et d'aller tout le temps chez le dentiste, et non simplement pour obéir à ses parents.

A contrario, les enfants qui n'ont pas de contraintes ne sont pas autonomes, parce que dès qu'ils se trouvent confrontés à une frustration, ils abandonnent… Ce qui peut générer des refus en tous genres : refus de faire ses devoirs, de ranger sa chambre, de dire bonjour. La parentalité doit mener progressivement vers l'autonomie. L'enfant a bien entendu besoin de stimulations et de la présence de l'adulte, mais même s'il est en bas âge, le parent peut le laisser seul avec ses jouets afin qu'il trouve des petits plaisirs, qu'il découvre qu'il peut créer des choses nouvelles avec ses deux mains. Préparer son enfant à être autonome n'a donc rien d'une séparation brutale, au contraire, c'est l'amener progressivement à vivre des moments seul.

Que n'a-t-on pas entendu comme discours autour de l'autonomie de l'enfant : l'autorité détruit l'autonomie de l'enfant, les habitudes détruisent l'autonomie, etc. Mais ce n'est pas vrai : plus l'enfant est habitué à faire des choses, plus il est libre, parce qu'il ne s'agit plus d'une contrainte mais d'une habitude.

■ Être présent pour accompagner l'enfant

La question du chemin vers l'autonomie pourrait être comparée aux différentes étapes que l'on met en place pour faire pousser une plante. Lorsque l'on veut qu'un arbre pousse droit, on va, dès le départ, installer des tuteurs très fermes avec des ficelles pour bien le maintenir. Si cela a été bien fait, alors arrivera un moment où l'on pourra enlever tous les tuteurs : l'arbre continuera à s'épanouir comme il le souhaite, en s'orientant de lui-même plus ou moins en fonction du vent, du soleil, mais son tronc restera à sa base parfaitement droit. Sans tuteur, l'arbre risque de pousser n'importe comment et ses branches partir tous azimuts. Il en va de même dans le processus pour mener l'enfant vers l'autonomie : plus il y a de bonne autorité au départ, plus l'enfant va construire sa propre personnalité, être capable de vivre seul avec sa spécificité face au monde.

Il ne faut pas croire que plus les parents sont présents, moins l'enfant peut s'exprimer par lui-même. Cela est vrai si un parent pense et agit à la place de son enfant, mais si le parent est simplement là pour établir une médiation entre la réalité et celle de l'enfant, il ne se substitue pas à lui : « Je t'accompagne, je vois qui tu es, je t'enseigne des choses que tu ne sais pas, mais c'est pour que tu sois libre. »

L'autonomie permet à l'enfant de se responsabiliser, une fois de plus progressivement. Peut-il jouer seul alors qu'auparavant il avait toujours besoin de quelqu'un pour l'accompagner ? Peut-il faire ses devoirs seul alors qu'il avait toujours besoin que quelqu'un le surveille ? Lorsque les parents ont aidé leur enfant à s'accommoder au réel, étapes par étapes, à vaincre ses peurs, lorsqu'ils l'ont exposé à des situations plus ou moins délicates sans chercher à lui éviter certaines castrations de la vie, l'enfant est autonome, c'est-à-dire qu'il peut vivre seul. Et c'est bien cela l'aboutissement : une lente séparation d'avec le parent, qui ne veut pas dire absence de ce dernier, mais qui signifie qu'il laisse l'enfant faire les choses sans qu'il soit toujours sa seconde main. Cela concerne les jeux, l'hygiène, les petits rangements, c'est progressif.

L'autonomie s'expérimente ainsi dans un cadre très protégé au départ où l'adulte n'est jamais loin, amenant petit à petit l'enfant à acquérir une gestion du réel beaucoup plus libre. C'est le détachement progressif de l'hyperprotection parentale. L'hyperprotection, c'est toujours se substituer aux désirs de l'enfant et sans cesse le protéger d'un environnement soi-disant défavorable, c'est lui dire : « Ce n'est pas facile de porter ton bol à la cuisine, je vais le faire » ou « Tu as du mal à t'habiller le matin parce que tu es encore petit, c'est moi qui vais t'enfiler ton pantalon ou faire les lacets de tes chaussures ». Cela va à l'encontre de l'autonomie. Le parent doit être conscient que si son enfant ne tente pas des choses par lui-même, même frustrantes, il va sans cesse quémander son attention, c'est-à-dire qu'il va attendre qu'on lui donne sa nourriture, qu'on lui fasse certains cadeaux, qu'on lui fasse certaines courses, jusqu'à, pourquoi pas, attendre qu'on pense pour lui à un moment donné.

L'autonomie mentale

Faut-il progressivement laisser l'enfant exprimer ses idées personnelles ou faut-il au contraire être tout le temps en train de décider pour lui : « Mets telle couleur pour tes habits », « Voilà telle émission de télé pour toi », « Voici tes activités du dimanche » ? Faut-il, à un moment donné, le laisser penser qu'il peut être tout à fait singulier ? En général, c'est à travers les activités de loisirs, toujours au moment de son entrée à l'école primaire, qu'il faut susciter l'autonomie de l'enfant, le motiver dans des activités qu'il choisit, qu'elles soient sportives, artistiques ou autre. L'autonomie signifie ainsi lui laisser certains choix. Mais attention, si vous laissez votre enfant trop choisir, il va changer d'activité tous les six mois, abandonner son instrument de musique pour un autre, son activité sportive pour une autre, etc. Il faut donc être vigilant et ne pas confondre autonomie et désir de l'enfant de faire ce qu'il veut quand il le veut. L'autonomie, c'est aussi dire : « Je choisis de m'engager dans telle activité mais je m'y tiens, je ne la quitte pas du jour au lendemain. »

Les outils de PsychoEnfants

■ Le calendrier des défis

Pour motiver un enfant récalcitrant, il suffit parfois de peu de choses. Instaurez par exemple un calendrier où vous noterez d'une croix (ou d'un bonhomme sourire) les jours où il a accepté de ranger sa chambre comme vous le lui aviez demandé. Le défi est le suivant: «Si à la fin de la semaine tu as atteint les sept croix (c'est-à-dire s'il a correctement rangé sa chambre tous les soirs après avoir sorti un jeu), tu auras le droit à une petite surprise ou l'on fera tous ensemble une sortie au square.» Le but est que l'enfant se sente récompensé de l'effort qu'il aura fourni. À force, le fait de ranger sa chambre deviendra pour lui une habitude.

■ 10, 9, 8, 7... tout est rangé !

Certains enfants rechignent à ranger leur chambre. Et certains parents finissent par le faire eux-mêmes. Dans un premier temps, il suffit d'im-pliquer l'enfant, de ranger avec lui. Pour cela, faites un compte à rebours à voix haute en disant à votre enfant: «Dans dix secondes, il faut que toute la chambre soit rangée!» Ou, si vous ne voulez pas compter, fixez une heure limite: «Il faut que l'on range tout avant que papa soit rentré du travail.» Votre enfant prendra cela comme un jeu. À terme, vous lui direz: «Vas-y, je te regarde, je compte jusqu'à 10 et tu me montres à quel point tu sais tout ranger.» N'oubliez pas bien sûr de le féliciter lorsqu'il s'implique et que la chambre est bien rangée.

■ Les disparitions mystérieuses...

Vous êtes une fois de plus en train de ranger les jouets dont s'est servi votre enfant? Plutôt que de les remettre dans le coffre à jouets ou à leur place habituelle, allez les mettre dans un endroit auquel le petit n'a pas accès (sous votre lit, sur une étagère, dans un placard). Ainsi, lorsqu'il voudra y jouer la fois suivante, il ne le trouvera pas, et lorsqu'il viendra vous voir pour vous demander si vous ne savez pas où il est, demandez-lui simplement : «Où est-ce que tu l'as rangé la dernière fois?» Votre enfant sera alors obligé de reconnaître qu'il ne l'a pas rangé et vous pourrez alors lui préciser que c'est ce qui arrive lorsqu'on ne range pas ses affaires. Dites-lui de jouer à autre chose, et, le lendemain, allez le voir avec le jeu en question en lui disant : «Regarde ce que je viens de retrouver. Mais fais attention, parce que la prochaine fois, on ne le retrouvera peut-être pas aussi facilement si tu ne le ranges pas...» Votre enfant comprendra que s'il veut pouvoir jouer à ses jeux quand il le souhaite, il a tout intérêt à les ranger après utilisation.

■ Besoin d'aide

Parfois, pour inciter un enfant à obéir, il suffit de lui présenter la demande sous un autre angle. Si votre enfant n'aime pas s'habiller le matin et fait durer l'habillage très longtemps à force de gesticuler dans tous les sens, faites appel à lui en lui disant que vous avez besoin de son aide : «Tu m'aides à t'enfiler ton pantalon s'il te plaît, je n'y arrive pas tout seul.» Ou l'inverse : «On fait la course, toi tu enlèves les habits du haut (pull-over et tee-shirt) pendant que moi je m'occupe de ceux du bas (pantalon, chaussures, chaussettes).» Votre enfant se sentira alors comme investi d'une mission et tentera de la remplir du mieux qu'il peut. À vous alors de le féliciter, quitte à en rajouter un petit peu : «Ouf, heureusement que tu étais là parce que je n'y serais jamais arrivé sans toi.»

■ Les images autocollantes

Les enfants visualisent mieux les demandes de leurs parents lorsqu'elles sont mises en images. Ainsi, plutôt que de répéter plusieurs fois les mêmes choses («Lave tes dents», «Range ta chambre», «Tire la chasse d'eau»), placez des images représentant ces actions aux endroits stratégiques (dans la salle de bain, la chambre à coucher, les toilettes). Vous pouvez également faire participer votre enfant en imprimant des images à colorier. Pendant qu'il y met de la couleur, expliquez-lui pourquoi il est important de respecter ces demandes. Ensuite, laissez-lui accrocher les images lui-même. À la vue de l'image, votre enfant se rappellera ce que ses parents attendent de lui et, au bout de quelque temps, cela deviendra automatique, il ne fera même plus attention aux illustrations.

L'apprentissage de l'autorité face à l'école

« Mon fils Enzo a 6 ans. Lorsque je vais voir sa maîtresse, elle me dit que c'est la catastrophe, qu'il ne veut rien faire, qu'il fait partie des derniers de sa classe. Lorsque j'essaie de le motiver, il me dit qu'il n'aime pas l'école et qu'il ne veut pas y aller. J'ai l'impression qu'il ne fait pas d'efforts et qu'il se concentre de moins en moins. Les devoirs durent longtemps, sont laborieux, pour lui comme pour moi. Cela m'énerve de le voir ne pas s'appliquer et je commence alors à hausser le ton. Lui se braque encore plus. Comment le remotiver et faire en sorte que l'école devienne une "partie de plaisir" ? »

Dès qu'un enfant rencontre des difficultés à l'école, on a souvent tendance à parler tout de suite d'échec scolaire, comme s'il y avait dans ce terme une sorte de justification qui ferait que l'enfant ne réussit pas en classe. Mais il faut être vigilant. S'il s'agit d'un échec scolaire parce que l'ambiance est trop frustrante, alors le problème relève moins de lui que de l'instituteur. En revanche, s'il s'agit d'un échec scolaire dû à des difficultés d'apprentissage, il faut faire très attention, car l'école est pour l'enfant la première expérimentation du réel, des choses difficiles. Il faut adopter alors une pédagogie sans doute très exigeante mais aussi très positive, qui est de se dire que dans chaque progrès les parents doivent valoriser les petites choses. L'estime de soi est liée aux réalisations. Si toute la journée l'enfant voit qu'il n'y arrive pas, qu'il est trop lent pour comprendre les cours, il risque de perdre confiance en lui. Il faut donc prendre cela au sérieux car l'école permet à l'enfant de confronter sa propre valeur à celle des autres.

■ L'école, une priorité

L'école est une priorité et l'enfant doit le savoir. Mais il n'est pas bête, il s'en rend compte. S'il y passe autant de temps, c'est bien qu'il y a une raison. Les parents peuvent très vite expliquer à leur enfant, progressivement, que tout le monde passe par ce chemin-là parce qu'il est nécessaire d'apprendre à lire, à écrire, d'acquérir des connaissances, parce que c'est ce qui permet plus tard d'avoir un métier. Je suis toujours estomaqué de voir qu'on ne demande plus aux enfants, par exemple au CP, ce qu'ils veulent faire plus tard. Certains me disent que c'est beaucoup trop tôt, qu'ils sont trop jeunes, mais c'est une erreur, ce n'est pas trop tôt, car il faut lier l'école à l'avenir. Et peu importe leur réponse, s'ils veulent être pompier, pilote de ligne, soldat, cow-boy. L'important est de leur montrer que l'école va être ce tremplin-là, qu'il est impossible d'avoir plus tard le métier dont on rêve si on ne va pas à l'école. L'enfant doit comprendre que l'école est un passage obligatoire pour son avenir.

Passé un an ou deux, il ne faut pas hésiter à dire à son enfant : « Toi, tu auras besoin de bien savoir compter », « Toi, de bien écrire », « Toi, de bien lire », « Toi, de bien savoir parler aux autres, de t'occuper des autres ». Grâce à ces petites phrases qu'il assimilera, l'enfant sera mieux armé pour faire face à une socialisation et aux apprentissages scolaires… Les parents peuvent lui expliquer que, tout comme il a acquis des compétences à la maison (par exemple quand sa mère lui a appris à faire un petit gâteau, il a appris à faire un peu la cuisine ; quand son père lui a appris à être adroit avec un jeu mikado ou à bien taper dans une balle, il a appris à faire attention et à être précis), il va acquérir d'autres compétences à l'école. Ce faisant, ils lui montrent que les apprentissages se poursuivent au dehors mais que ça ne peut pas être eux qui continuent à l'accompagner, puisqu'ils ont du travail, et que c'est le rôle des enseignants.

Encore faut-il expliquer cela à l'enfant : tout ne vient pas tout de suite. Ce n'est pas parce qu'il est talentueux qu'il va exceller dans quelque chose, rien ne se fera sans la répétition. Et cela passe par les apprentissages scolaires et extrascolaires, qu'il s'agisse de musique ou d'activités sportives.

L'encourager pour l'aider à avancer...

Lorsqu'un enfant montre peu de bonne volonté pour effectuer une tâche demandée par l'un de ses parents, utiliser un objet affectif fort (ou non) pour lui peut devenir une source de motivation. Par exemple, il ne faut pas hésiter à expliquer à votre enfant que s'il s'implique bien dans son travail scolaire, il est normal qu'il soit récompensé et que vous ferez pour l'occasion une sortie en famille dans ce parc d'attraction où il meurt d'envie d'aller. Ce n'est pas du chantage : si votre enfant fait un effort, alors vous, parents, pouvez en faire un aussi. Il s'agit de l'encourager et de l'aider à trouver une motivation suffisante. C'est une sorte de récompense pour le travail effectué.

■ Une société miniature

Comment un enfant habitué à couper la parole à des adultes pourrait-il écouter un autre élève ou accepter que l'instituteur parle avant lui ? Comment un enfant habitué à se lever constamment quand il est à table ou à interrompre de courtes activités dès qu'il en a assez accepterait-il de rester une demi-heure assis ? C'est là le rôle de l'école : faire découvrir à l'enfant le monde extérieur. Jusque-là confiné dans son cocon, entouré de ses parents, l'enfant n'avait en effet que peu de contacts directs avec le réel, du moins n'était-il quasiment jamais seul lorsque cela se produisait. L'école représente ainsi la société en miniature : l'enfant découvre qu'il n'est pas tout seul et qu'il doit faire avec. Ce contact peut être difficile, parce qu'un enfant à qui l'on ne cesse de répéter « Qu'est-ce que tu es beau », « Qu'est-ce que tu es intelligent », « Qu'est-ce que tu es fort », ne va pas comprendre pourquoi à l'école il apprend moins vite que les autres, pourquoi il n'a pas la réponse à toutes ses questions ou pourquoi un copain répond mieux que lui. De la même manière, un enfant peut souffrir de découvrir tout à coup à travers le regard de ses camarades qu'il a de grandes oreilles, qu'il a des cheveux pas comme les autres, que ses lunettes sont épaisses, si ses parents ne le lui ont pas dit avant… Il ne s'agit pas pour autant d'être désagréable avec son enfant, mais il faut lui apprendre cette réalité-là aussi à la maison. Si l'enfant porte des lunettes imposantes comme son père, il est possible de souligner l'analogie : « Regarde, papa aussi a de grosses lunettes et cela n'empêche pas maman de l'aimer. » De cette façon, votre enfant apprendra à anticiper un éventuel complexe. Les parents ont ainsi souvent tendance à surprotéger leur enfant et à lui cacher ses petits défauts. Malheureusement, à l'école, il n'y aura pas de cadeaux.

Les psychologues classiques appellent cette période la « période de latence ». C'est selon eux une période pendant laquelle il ne se passe rien sexuellement, donc une période où tout se passe bien. J'appelle cette période de 7 à 12 ans la « période de turbulences ». C'est la plus difficile pour l'enfant, celle où il se heurte aux autres. Il ne s'agit plus simplement de devoir faire face à l'autorité adulte, qu'il a déjà connue auparavant, mais ce sont à présent les autres qui attaquent. Les enfants ne sont pas tendres entre eux et, souvent, avec la compétition qui s'instaure autour des apprentissages, l'enfant tombe tout à coup de son piédestal. Alors que sa famille pouvait l'écouter pendant une heure et demie lors d'une soirée, l'enfant se rend maintenant compte que dès qu'il dit quelque chose, personne ne va forcément faire attention à lui. On lui disait qu'il était très bon au foot, mais le voici à présent maladroit, avec ses copains qui ne le choisissent pas pour jouer avec eux…

L'école est donc un passage difficile car l'enfant entre véritablement dans le principe de réalité. Il apprend qu'il faut savoir lire, écrire et qu'il existe en tant qu'individu à part entière mais que les autres sont là aussi.

> **Instaurer une routine très tôt**
>
> Les routines apprennent à l'enfant à s'organiser... À travers elles, l'enfant se crée des repères, une structure psychologique qui pourra lui être utile plus tard à l'école, pour organiser son travail. Dès que l'enfant acquiert une certaine autonomie, que ce soit dans ses gestes, sa parole, sa marche, ses parents peuvent lui demander de participer à la vie quotidienne de la famille. Il ne s'agit pas de lui confier des tâches ou des défis qu'il ne pourra pas relever mais, en fonction de son âge, vous pouvez par exemple :
> - l'emmener au marché ou dans une grande surface pour le faire participer aux courses ;
> - lui demander de nourrir les animaux domestiques ;
> - le faire participer à une petite tâche ménagère ;
> - lui faire faire quelque chose pour les autres : un dessin, un gâteau.

■ Instituteur et parents : même combat !

Pour réussir l'éducation d'un enfant, il faut établir des limites. Un enfant éduqué au sein d'une famille qui a su faire preuve d'autorité à un moment donné aura tendance à avoir plus de facilité à accepter les règles de conduite qui lui seront imposées en classe. D'un autre côté, si l'enfant passe six heures par jour à l'école, dans un cadre où il y a des règles de respect de l'autre, cela va le conditionner, l'aider si ses parents sont trop permissifs. Mais dans la tête de cet enfant, il y aura toujours les gentils et les méchants. L'instituteur apparaîtra ainsi comme étant le méchant parce que c'est toujours lui qui demande de s'asseoir, de ne pas couper la parole, d'écrire proprement entre les lignes. Et si les parents sont les gentils avec qui l'enfant est toujours en train de regarder un film, de jouer, de faire des câlins, il y a de grandes chances que, pour lui, tout ce qui sera de l'ordre de la routine, des règles ou de la frustration, soit vécu comme injuste, puisqu'à la maison c'est l'inverse. Il faut ainsi instaurer une certaine cohérence entre les règles en vigueur à l'école et celles à la maison.

Certes, il vaut mieux des règles scolaires que pas de règles du tout. Mais si l'école est la seule à dispenser de l'autorité, cela ne fonctionnera pas. C'est un peu comme si, à la maison, il n'y avait que la mère qui donnait des règles tandis que le père était tout le temps en train de jouer. Dans ce cas précis, la mère sera très vite agressée parce qu'elle sera perçue comme la mère Fouettarde. Donc si l'instituteur devient le père Fouettard parce que les parents sont trop permissifs, il y aura de fait un dysfonctionnement.

Pour établir la nécessaire cohérence entre l'école et la maison il faut ainsi que les parents rencontrent les enseignants dès la crèche ou le primaire afin qu'ils parlent ensemble de l'éduca-tion de l'enfant, pour savoir ce que la maîtresse ou le maître instaure comme rythme, au bout de combien de temps elle ou il permet à l'enfant d'arrêter une tâche. Car en général, chacun remet la responsabilité sur l'autre. L'instituteur aura tendance à dire que les parents sont permissifs tandis que les parents décriront l'instituteur comme trop autoritaire. Parents et enseignants doivent donc absolument discuter.

Pas de quotas de réussite

On ne fait pas preuve d'autorité avec un enfant comme on résoudrait une équation mathématique. Il ne faut pas se dire «Je cède cette fois-ci, mais la prochaine fois, non, je ne me laisserai pas faire» ou «Il a accepté de goûter des légumes hier, donc aujourd'hui je ne le forcerai pas», car il ne doit pas y avoir de compromis! Le parent félicite bien entendu son enfant s'il a fait des efforts, mais il ne doit pas céder sur un point sous prétexte que des efforts ont été faits la fois précédente. Certes, en ne cédant pas, les résultats positifs ne sont pas garantis à 100 %, mais le parent ne doit surtout pas se dire que du moment que cela fonctionne une fois sur deux il est satisfait et estimer avoir fait preuve de suffisamment d'autorité avec son enfant.

Les outils de PsychoEnfants

■ Valorisez le concret

Dire constamment à votre enfant qu'il est beau, fort, grand, formidable n'est pas réellement constructif pour lui. En effet, une fois confronté aux autres enfants dans un cadre comme celui de l'école, il se rendra compte qu'il y aura toujours quelqu'un qui sera «plus» que lui : plus beau, plus intelligent, plus rapide. N'arrêtez pas pour autant de lui faire des compliments, mais il est plus important de valoriser ses actions concrètes : «Quand tu prêtes tes jouets à ta petite sœur, je suis contente»,«J'aime bien quand tu t'endors sans faire d'histoires le soir, je suis fière de toi». Ce genre de phrases valorise plus son comportement, c'est-à-dire des choses dont il est vraiment à l'origine.

■ Jouez au maître ou à la maîtresse

En plus du travail scolaire quotidien, il est nécessaire de bien prendre le temps de revoir avec votre enfant les leçons qu'il a apprises le jour même, en particulier celles avec lesquelles il a le plus de difficultés. Ainsi, transformez-vous en instituteur ou institutrice en lui réexpliquant plusieurs fois jusqu'à ce qu'il comprenne et, ensuite, inversez les rôles. Demandez-lui de faire l'instituteur et de vous expliquer à son tour la leçon. Vous verrez ainsi si votre enfant a bien assimilé sa leçon.

■ L'étude

Une fois qu'ils retrouvent l'environnement familier de leur chambre, certains enfants sont incapables de se concentrer correctement, toujours attirés par ce qui se passe à droite ou à gauche, mais jamais par leur cahier d'exercices. Dans ce cas, vous pouvez organiser une pièce de la maison autre que sa chambre (un coin du salon par exemple) spécifiquement consacré aux devoirs et que vous nommerez «Étude». Attention, veillez bien à ce que rien dans cette pièce ne puisse distraire votre enfant et comportez-vous avec ce dernier comme un professionnel de l'éducation, exigeant, qui encadre l'enfant. Ce temps de travail encadré ne rompt pas directement avec le temps scolaire et votre enfant reste alors attentif plus longtemps.

■ Le mini moi

Quand on refuse quelque chose à un enfant, il est frustré. Plutôt que de le laisser commencer une colère, il s'agit de l'occuper pour détourner son attention. Mais attention, ce n'est pas à vous d'abandonner ce que vous étiez en train de faire pour jouer avec votre enfant. Occupez-le plutôt en fonction de votre activité du moment. Si vous faites la cuisine, faites-le participer s'il est suffisamment grand, sinon prêtez-lui des ustensiles (casserole, cuiller en bois) pour qu'il s'occupe en vous regardant. Votre enfant tentera sûre-ment de vous imiter. De même, si vous lisez un magazine, donnez-lui un livre ou un autre magazine (dans lequel il pourra découper, par exemple).

■ L'opposition détournée

Lorsque votre enfant refuse de vous écouter alors que vous ne cessez de lui répéter la même chose, essayez de détourner son opposition. S'il refuse de ranger sa chambre, proposez-lui de cacher tous ses jouets (dans les tiroirs), de même, s'il ne veut pas aller dans son bain, prenez l'un de ses jouets (qui va dans l'eau) et dites-lui qu'ensemble vous allez nettoyer ce jouet. Certains enfants ont tendance à faire un «blocage» à partir du moment où vous prononcez un mot qui peut être synonyme de frustra-tion pour eux («dormir», «ranger», «bain»). En changeant simplement de mot, vous lui permettez d'appré-hender différemment la chose.

Réguler la fratrie

« *Mes enfants Mathilde, 8 ans, et son petit frère, Jean, 6 ans et demi, ne s'entendent pas. Ça en devient un enfer pour tout le monde. Ils ne cessent de se disputer, se frappent l'un l'autre et refusent catégoriquement de jouer ensemble ou même de se prêter leurs jouets. Je ne sais plus qui punir ni ce qu'il faut que je fasse pour retrouver une harmonie au sein de ma vie de famille.* »

Ce n'est pas parce que deux enfants sont élevés ensemble qu'ils vont automatiquement s'entendre à merveille… et ce, même s'ils ont reçu la même éducation. Bien sûr que non, puisqu'ils n'ont pas le même tempérament. C'est d'autant plus vrai quand les enfants sont proches en termes d'âge. Dans ce cas, il risque alors d'y avoir plus de conflits.

■ Comme chien et chat

Il faut, avant toute chose, dire qu'on ne peut pas élever des enfants de la même façon parce qu'on n'éduque pas un enfant timide comme on éduque un enfant qui est plus extraverti. Les parents disent souvent « Je ne comprends pas, j'ai éduqué ma fille comme j'ai éduqué mon fils, ça ne donne pas la même chose ». Non, effectivement, puisque ce ne sont pas les mêmes personnes. Ils n'ont pas les mêmes amis, ils ne font pas les mêmes rencontres. Il est donc absurde de dire : « Je vais faire faire du piano à ma fille parce que mon fils adore ça. » Cela ne fonctionne pas ainsi. Et il en va de même pour les loisirs, pour les fréquentations extérieures, les sorties.

Parler d'éducation, c'est parler d'objectivité, de la réalité des choses, et donc, par extension, de la réalité de l'enfant. Il faut que celui-ci accepte sa taille, son tempérament, son physique, ce qu'il va générer chez les autres comme réactions. Pour toutes ces choses-là, il s'agit de travailler avec la réalité. Dans une fratrie, il faut donc que les parents soient vigilants parce que beaucoup disent « Ils se disputent souvent mais je ne me fais pas de soucis, cela va se régler entre eux ». Ce n'est pas vrai, l'un des membres de la fratrie est parfois un peu plus leader, un peu plus manipulateur que l'autre, et peut faire de son frère ou de sa sœur un bouc émissaire. Il existe ainsi des frères ou des sœurs destructeurs. D'ailleurs, je ne vois pas pourquoi certains le seraient à l'école et pas chez eux.

Ce n'est pas normal de laisser un grand frère imposer son jeu à son petit frère pendant toute une après-midi parce que Monsieur veut gagner des parties au détriment du tout-petit. Lorsqu'il y a un bouc émissaire au sein d'une fratrie, il revient aux parents de réguler la relation et de dire : « Maintenant ça suffit, il faut partager aussi un jeu pour faire plaisir au petit. » On ne parle pas suffisamment de ce genre de situations. Je ne dis pas qu'il faut rentrer tout le temps dans le secret des enfants, mais les parents doivent être vigilants, en fonction de ce qu'ils observent chez leurs enfants, de leur tempérament, de la manière dont ils se positionnent au sein de la fratrie. Il y a en général de l'affection entre frères et sœurs, des liens forts, mais il faut parfois faire preuve de bons sens en observant la situation. Souvent, les parents ont l'impression que tout se passe bien et n'interviennent que quand leurs enfants crient, hurlent et quand il y a conflit. Il serait vraiment préférable de s'imposer en amont, avant que la situation dégénère.

■ Une présence parentale indispensable

Les parents souhaitent bien sûr que leurs enfants s'entendent bien, mais la question est de savoir quels sont les moyens qu'ils vont mettre en œuvre pour que la cohésion familiale soit la meilleure possible. Ils se doivent d'être présents lorsqu'il y a des petits conflits, de donner la parole à tout le monde et pas seulement à ceux qui parlent le plus, de veiller à ce que les enfants fassent des tâches ensemble. Pour un anniversaire, par exemple, les parents peuvent demander aux enfants de cuisiner ensemble un gâteau, de préparer ensemble l'accueil des invités, ou de réaliser un cadeau commun à Noël pour les grands-parents. Sans chercher à être des parents parfaits, il faut veiller à tout cela. S'occuper d'une fratrie, c'est de l'éducation. Et l'éducation, ce n'est pas simplement parler ou avoir la volonté que tout se passe bien.

Il existe une espèce d'angélisme parental qui croit, de manière romantique, que tout le monde s'aime, va bien, éludant tous ces petits phénomènes, par ailleurs tout à fait normaux, de conflits entre frères et sœurs. Certains parents ne veulent pas les voir. Mais l'adulte doit intervenir afin que ne s'instaure pas la loi du plus fort.

Certes, les enfants auront leurs activités propres, chacun en fonction de sa personnalité, mais il faut aussi qu'il y ait des activités familiales. Or on remarque que, le plus souvent, il n'y en a pas. Chacun s'occupe de son côté : l'adolescent est avec ses amis, celui de 10 ans est devant la télé, tandis que celui de 6 ans et demi joue dans sa chambre… Les familles où tout se passe bien sont celles qui savent fédérer tous les membres autour d'une activité, qu'il s'agisse de randonnées, de repas pris en commun, de sport, de jeux.

Ainsi, chacun doit avoir son petit territoire particulier, personnel, mais il faut aussi pratiquer des activités ensemble. Et qui dit faire des choses ensemble dit se respecter les uns les autres. C'est un peu comme dans un couple. Deux personnes qui ne partagent aucune activité commune courent droit à la catastrophe. À l'inverse, ceux qui s'entendent bien et qui établissent des liens solides pour l'avenir sont ceux qui construisent des multipartenariats, tout en laissant à chacun la liberté d'avoir ses propres loisirs, ses propres libertés.

Le syndrome de la baleine

L'autorité n'est pas qu'une chose qui casse, qui contraint le plus jeune à la volonté de l'adulte. C'est le cadre de vie qui lui permet de faire des choses. Si les parents déterminent par exemple l'heure d'aller à la piscine et l'heure de sortie du bassin, ainsi que toutes les petites contraintes qui entourent l'activité, ils peuvent aussi se « lâcher » et se transformer en « baleine » pour porter les enfants dans la piscine, crier et rire avec eux : ils ne perdront aucune autorité ! Quand le cadre est posé, tout est alors possible, et ce sont bien souvent les parents très stricts sur les règles qui

…/…

se permettent le «syndrome de la baleine»: pouvoir prendre du bon temps, régresser et délirer avec ses tout-petits! Non seulement cela sécurise l'enfant, mais cela permet aussi au parent de se sentir libre, car s'il ne pose pas de cadre, il va constamment être en train de courir après l'enfant qui transgresse: «Attends, on va sortir tout à l'heure», «Non je t'ai dit de ne pas plonger». C'est la même chose pour un enseignant. Celui qui n'a pas d'autorité va passer son temps à dire «Assieds-toi», «Tais-toi», «Ne fais pas ça», sans pouvoir alors transmettre aucun contenu. À l'inverse, les parents diront d'un enseignant qui a de l'autorité: «Il n'est pas marrant, mais au moins, les enfants apprennent bien avec lui.» C'est exactement la même chose en famille.

■ Faut-il se reposer sur l'aîné?

Un grand frère peut tout à fait exercer de l'autorité sur un cadet mais les parents doivent faire attention à l'«importance» qu'ils lui accordent afin d'éviter le risque de lui attribuer un rôle qu'il n'a pas à tenir. Car lui dire qu'il doit montrer l'exemple parce qu'il est le plus vieux lui interdit de faire certaines choses ce qui, après coup, peut entraîner de petites rébellions. Confier un rôle trop important à l'un de leurs enfants est en quelque sorte pour les parents une manière de se débarrasser du problème, de se décharger d'un poids en le confiant à l'aîné. J'ai ainsi pu voir des enfants de 12 ans garder leur petite sœur de 6 ans pour que les parents puissent aller au cinéma. C'est une responsabilité beaucoup trop lourde pour un enfant de cet âge. Et on aura beau lui expliquer les règles de sécurité d'urgence ou lui montrer à quel point on lui fait confiance, c'est une tâche que le préado n'a pas à assurer.

Il ne faut pas non plus dire à un enfant : « Va convaincre ton petit frère de ranger sa chambre » ou « Va annoncer à ta petite sœur qu'on mange dans cinq minutes ». Ce n'est pas le rôle de l'enfant, c'est celui du parent. C'est ce que l'on appelle de la « délégation poubelle » : « Je n'y arrive pas donc je demande à l'aîné de le faire à ma place. » D'autant que, le plus souvent, les aînés n'aiment pas jouer ce rôle. Demander au frère aîné d'éduquer c'est revenir à la coutume du droit d'aînesse du Moyen Âge, lorsque l'enfant le plus grand avait tous les droits, y compris les droits d'héritage. Ce genre de vieux principes restent culturels en France.

■ L'intégration des lois par modèles

Si un conducteur se fait arrêter par la police devant vous parce qu'il est passé lorsque le feu était rouge, il y a de grandes chances que vous vous disiez : « Je fais bien de freiner à l'orange. » Il en va de même pour l'éducation. Lorsqu'un enfant voit par exemple ses parents intervenir auprès de l'aîné parce que ce dernier n'a pas fait ses devoirs, le cadet va intégrer petit à petit qu'il vaut mieux se calquer sur leurs attentes pour ne pas avoir d'ennuis. Et c'est tout aussi vrai si l'intervention des parents ne concerne pas l'aîné mais un autre membre de la fratrie. Mais *a contrario*, si un tout-petit voit que son frère aîné lance son blouson sur un fauteuil sans le ranger et qu'ensuite on lui demande, à lui, de ranger sa chambre, il y a de grandes chances pour que l'autorité ne fonctionne pas. Il faut encore et toujours une grande cohérence : les parents ne peuvent pas éduquer tous leurs enfants de la même manière mais il faut des règles communes à tous. Un parent ne peut pas ainsi avoir quarante lois, ni exiger que son petit goûte les épinards s'il a cuisiné des œufs sur le plat pour son préadolescent.

Les règles familiales sont des règles communes de vie en société. Comme il existe un Code civil, il n'y a pas de lois différentes pour chaque citoyen. La nuance, dans l'éducation, c'est que les parents peuvent veiller à ce que les enfants développent leur propre personnalité malgré toutes ces règles de fonctionnement social, relationnel. Lorsque les règles familiales et sociales sont acquises, cela permet l'épanouissement de la personnalité parce que les parents peuvent alors s'intéresser à autre chose. Car une fois réglées toutes les histoires de rangement, d'aide à la maison, de respect, ils peuvent enfin parler du dessein de l'enfant, de ses qualités sportives, artistiques, de ses aspirations. Mais lorsqu'il n'existe pas du tout de loi familiale ou sociale, on ne peut alors parler que de conflits, de punitions, de sanctions. L'absence d'éducation fait qu'il y a un perpétuel conflit autour des règles.

Les outils de PsychoEnfants

■ Le débat

Lorsque vos enfants ne s'entendent pas ou se disputent, vous ne devez pas tout de suite prendre parti et prendre la défense de l'un ou l'autre. Dans ce type de situations, il peut être plus intéressant de les laisser confronter leur point de vue. Ainsi, dans un temps réparti, invitez chacun à exprimer sa vision des choses et ses arguments. Vous pouvez ensuite intervenir pour les faire discuter sur le sujet de discorde et les amener à réfléchir ensemble à une solution adaptée. Mais attention aux personnalités «fortes» qui ne vont pas manquer d'écraser les plus faibles, l'esprit démocratique n'est pas inné !

■ Le tableau des promesses

Chaque semaine, profitez d'un moment privilégié avec chacun de vos enfants pour un tête-à-tête. Installez-vous ensemble dans un endroit calme et discutez des nou-

velles règles en société qui s'appliqueront à partir de la semaine suivante. Prenez un tableau noir afin que chacun y inscrive ce qu'il promet de faire pour son frère ou sa sœur : «Je l'aiderai à ranger sa chambre», «Je l'aiderai à faire ses devoirs», «Je ne me disputerai pas avec ma sœur». Limitez-vous à une promesse par semaine et par enfant et mettez l'accent sur ce qui vous semble le plus important. À chaque fois qu'un enfant sera réticent pour effectuer la tâche qu'il s'est engagé à respecter, montrez-lui le tableau et rappelez-lui qu'il avait promis de le faire.

■ Le *time-out*

Lorsqu'il y a une altercation entre vos enfants, le retrait de la vie familiale de l'un et de l'autre (lorsque ceux-ci sont tous deux fautifs) est normal, même sain pour aider à faire retomber la pression et à retrouver le calme. Chaque enfant comprendra ainsi qu'il a fait une bêtise et qu'il doit réfléchir à celle-ci. Cependant, gare à ne pas trop utiliser ce procédé. Utilisez cette «pause» dès que l'un et/ou l'autre dépasse les limites. Mais attention à ne pas les laisser en dehors de la vie familiale trop longtemps.

■ Le carnet de grand

Lorsque des rivalités s'installent à l'arrivée d'un frère ou d'une sœur, le plus grand est souvent jaloux de toute l'attention portée autour du petit dernier. Afin de ne pas attiser cette jalousie, donnez-lui davantage d'autonomie et offrez-lui son premier «carnet de grand» dans lequel vous écrirez les tâches de grand qu'il pourra accomplir en fonction de son âge (mettre la table) et les nouveaux petits passe-droits dont il bénéficiera (regarder de temps en temps la

télé avec papa). En voyant son statut de grand frère ou de grande sœur renforcé, il se sentira responsable.

■ La liste

Listez les comparaisons que vous faites de temps en temps à vos enfants : «toi tu es plus curieux que ton frère», «toi tu es plus énergique que ta sœur» et bannissez-les. Il est primordial de laisser une fratrie s'épanouir «individuellement». Le fait de comparer deux enfants issus de la même famille ne tendra qu'à en complexer l'un des deux. N'instaurez pas un esprit de compétition entre eux. En effet, votre enfant a besoin de sentir que vous l'aimez autant que vous aimez son frère. Ainsi, les petites réflexions du type «ton frère apprend plus vite que toi» ne tendront qu'à rabaisser l'estime de soi de votre enfant.

■■■

Passer le témoin de la « bonne autorité »

Chapitre

12

« Comme chaque année, nous allons passer deux semaines de vacances chez mes parents, dans le Jura. Et à chaque fois j'ai le droit à la même réflexion de la part de ma mère : "Je trouve que tes enfants ne sont pas très obéissants. Mais bon, en même temps, c'est vrai que nous t'avons laissé beaucoup de liberté quand tu étais petite." Cette phrase a le don de m'énerver, tout d'abord parce que mon autorité au sein de ma famille est remise en cause, et ensuite parce que j'ai envie de lui dire qu'elle n'a rien à voir avec ma façon d'élever mes enfants. Ai-je raison ? Ou bien mon éducation a-t-elle eu une quelconque répercussion sur la manière dont je me comporte avec mes enfants (âgés de 5 ans et de 9 ans) ? »

Les grands-parents d'aujourd'hui sont ceux qui ont été éduqués dans l'idée que le moindre signe d'autorité était mauvais pour l'enfant. C'était déjà la génération Dolto. Il faut donc faire attention, mais, souvent, les grands-parents ont tout de même de bons conseils à donner, que ce soit sur l'alimentation ou le sport, des conseils qui peuvent parfois paraître un peu désuets mais qui sont pleins de bon sens. Il est bien évident que lorsque l'on a déjà élevé soi-même des enfants, on a plus d'expérience qu'un jeune couple qui vient de démarrer, mais cela ne veut pas dire que les grands-parents sont forcément meilleurs…

■ La même autorité de génération en génération ?

On ne peut pas dire que l'autorité se transmet systématiquement d'une génération à l'autre. Certaines personnes sont très contentes de l'éducation qu'elles ont reçue et vont essayer de la reproduire autant que possible alors que d'autres qui ne sont pas satisfaites de ce qu'elles ont vécu vont, *a contrario*, tout faire pour élaborer une éducation nouvelle, différente. Toutes les hypothèses sont donc permises, mais il est vrai que nous sommes toujours influencés par l'éducation que nous avons reçue. Je ne crois pas du tout pour autant à la théorie du transgénérationnel qui voudrait que certaines choses passent de l'arrière-grand-père au petit-fils sans que l'on s'en rende compte.

L'autorité est avant tout une question de cohérence. Bien sûr, les grands-parents n'ont pas à exercer la même autorité que les parents, il faut bien que l'enfant voit aussi des papis et mamies un peu « gâteau ». Mais il ne doit pas y avoir un écart trop grand entre la vie chez les grands-parents et les exigences des parents. Il faut ainsi faire attention parce que si l'enfant peut regarder pendant six heures la télévision chez les grands-parents alors qu'à la maison il y a une règle qui dit « pas plus d'une demi-heure », on tombe dans l'incohérence éducative.

On ne peut nier les influences générationnelles, et ce n'est d'ailleurs pas forcément une mauvaise chose que de transmettre ces influences, comme la religion par exemple. Les parents ont le droit de dire à leur enfant : « Ton arrière-grand-père était rabbin » ou « Ton oncle est évêque, nous te demandons donc de suivre une éducation religieuse car nous avons toujours été élevés comme cela dans la famille ». Effectivement, qu'il s'agisse d'une culture sportive, religieuse ou autre, la transmission n'est pas innée. En revanche, ce n'est pas parce que les parents demandent cela à l'enfant qu'il faudra le lui imposer à l'adolescence, lorsqu'il pourra faire ses propres choix et qu'il aura des opinions personnelles.

Parents d'hier *versus* parents d'aujourd'hui

Peut-on dire que telle ou telle génération était meilleure pour élever un enfant qu'aujourd'hui ? Non, il n'y a pas de période plus favorable qu'une autre. Bien sûr, le contexte (familial, économique, financier) joue un rôle prépondérant, mais les jeunes parents se construisent leurs propres expériences à mesure que leur famille grandit. Alors, peut-être que le contexte était effectivement plus propice au bon développement de l'enfant il y a une trentaine d'années, mais cela ne signifie pas que ce dernier était plus sage ou qu'il faisait moins de caprices. Ainsi, les conseils d'éducation dispensés par les grands-parents se révèlent très utiles. Cependant, avant de les mettre en pratique, il faut bien les « réajuster » en fonction de la période actuelle.

■ Astuces de grands-mères

En matière d'éducation il ne faut jamais hésiter à demander des conseils à des personnes qui ont plus d'expérience. Non pas parce qu'elles sont meilleures, mais parce qu'elles peuvent apporter des points de vue différents. Certaines grands-mères sont par exemple très sécurisantes pour tout ce qui concerne les enfants en bas âge en étant toujours là pour dire : « Mais ne t'inquiète pas, ce n'est pas parce qu'il a un peu chaud à la tête qu'il va mourir dans l'heure qui vient » ou « Ce n'est pas parce qu'il n'a pas fait son rot qu'il va s'étouffer dans son sommeil ». Elles restent ainsi très présentes pour assister les jeunes parents sur le plan de l'hygiène, de l'alimentation, des premiers soins.

Il faut cependant s'assurer que les grands-parents sont de bon conseil et pas juste des grands-parents gâteau. Il faut ainsi rester prudent, mais la logique voudrait que, quand on a plus d'expérience, on est plus apte à aider les autres. On ne demande pas à ses enfants d'élever leurs propres enfants comme eux ont été élevés, mais il y a des bases incontournables en éducation qui sont l'intégration de la frustration et de la réalité. Il n'y a pas besoin d'être papi ou mamie pour le dire, certains psychologues peuvent le faire à travers des ateliers d'aide à la parentalité. Il ne s'agit donc pas uniquement de symbolique, de transmission, d'affection : l'éducation est un véritable savoir-faire. Il faut véritablement voir ce rapport entre plaisir, réalité et contexte actuel. Il faut comprendre ce qui construit l'enfant, ce qui le détruit, et comment on peut lui donner beaucoup plus de compétences de vie.

■ Vers sa propre autorité

Il est tout à fait possible, pour de jeunes parents, de s'affranchir de l'autorité qu'ils ont eux-mêmes reçue lorsqu'ils étaient petits. C'est un petit travail personnel que chacun doit faire sur lui-même. Les conjoints doivent en parler rapidement pour savoir s'ils ont les mêmes philosophies éducatives, au lieu de se dire « C'est formidable, tout va bien se passer parce nous aimerons notre enfant ». Les parents ne doivent pas croire que l'amour qu'ils vont apporter à leur enfant lui suffira et que, grâce à cela, il va s'éduquer tout seul. Il faut ainsi parler de ce vécu que l'on a eu étant enfant, savoir ce que l'on en a fait, faire le point calmement, prendre ce que l'on trouve bien d'un côté tout en essayant de freiner ce qui l'est moins. C'est parce que les enjeux sont tellement importants qu'il faut en parler. Ce n'est pas une force inconsciente qui est totalement intouchable et inaccessible. Il faut que les parents travaillent émotionnellement sur ce que ces souvenirs suscitent chez eux, et il ne s'agit pas là de psychanalyse, mais tout simplement de ce que l'on appelle le travail sur ses propres émotions et ses propres scénarios de l'enfance.

Imaginons donc un scénario. Après l'avoir nourri, la mère d'un enfant en bas âge va le coucher, et le petit se met à hurler. Le père arrive alors en disant: « Non, j'ai l'impression qu'il est en manque de quelque chose. » C'est dans ce genre de situations qu'il faut en parler, car cela peut entraîner, à terme, des soucis au niveau de l'éducation de l'enfant. Il faut ainsi demander au père ce que cela lui rappelle quand il voit son enfant pleurer comme ça. Peut-être fait-il une projection de sa propre enfance.

Ce sont des choses qui redeviennent conscientes très vite, comme le fait de goûter les aliments, les histoires le soir avant de s'endormir, la peur du noir. Certains vont beaucoup nourrir leur enfant parce qu'ils ont la sensation d'avoir manqué lorsqu'ils étaient plus petits, d'autres sont très présents dans la chambre pour stimuler leur enfant parce qu'ils ont le souvenir de moments de solitude quand leur parents ne voulaient pas jouer avec eux. Les parents rejouent donc des scènes de leur propre enfance et il est essentiel que cela soit dit entre mari et femme afin d'éviter de projeter sur les enfants ses propres règlements de compte.

L'importance de la hiérarchie

Face à un enfant qui refuse d'obéir ou qui fait une colère, beaucoup de parents sont désemparés, et, lassés, ils cèdent. Ceci n'envoie pas un message positif à leur enfant. Car même s'il semble content, leur autorité s'en trouve affaiblie. N'hésitez pas à maintenir votre premier choix et au « Non, c'est non » habituel, ajoutez une explication très simple : « Je suis ta maman, tu es l'enfant, donc c'est moi qui décide et tu dois obéir, que ça te plaise ou non. » Vous exercez simplement votre rôle de parent.

■ La délégation du « pouvoir d'autorité »

Quand les parents laissent leur enfant chez des amis ou chez les grands-parents, ils transmettent leur autorité. Ils ont confiance en l'adulte auquel ils le confient, ce qui signifie qu'ils lui font également confiance sur la manière dont celui-ci se comportera avec leur enfant. C'est une histoire de verticalité. Puisqu'ils sont adultes, ils ont une « verticalité », c'est-à-dire une autorité sur l'enfant. Ça ne plaît pas toujours à ce dernier, mais il n'a pas le choix, les parents ne sont pas les seuls à avoir le droit de hausser le ton. Si les parents confient leur enfant à des papis et mamies gâteau, ils peuvent tout à fait prévenir : « Nous savons que papi et mamie te laissent aller sur Internet tout le temps, nous ne sommes pas trop d'accord. » Faire cette annonce évite d'entrer dans des conflits perpétuels avec les grands-parents permissifs.

Il existe donc un juste milieu entre faire confiance aveuglément à la personne à qui le parent confie ses enfants et n'exprimer pour cette personne que de la défiance. Tout le monde doit échanger pour le bien de l'enfant. L'éducation, c'est communiquer entre les différents intervenants, voir les écarts, ce qui ne fonctionne pas et trouver un heureux compromis. Ce n'est pas une ligne conductrice fascisante, rigide.

Il est en outre bénéfique que les enfants voient des milieux variés. Le parent doit faire attention s'il constate une incohérence trop grande qui peut détruire tout ce qui a été acquis à la maison, mais en général, sur de courtes périodes, ce n'est pas mauvais que l'enfant découvre une autre façon de vivre. Je me souviens d'un enfant qui avait passé des vacances avec d'autres enfants et qui était estomaqué de voir que les autres n'avaient pas du tout le même rythme de vie que lui. Ainsi les enfants remarquent les différences, et ils vont en tirer leurs déductions eux-mêmes. Il est donc quelquefois bon qu'ils notent des différences chez les adultes et se confrontent à d'autres milieux pour faire leur propre analyse. Mais si la quantité de gens incohérents est trop importante dans leur entourage, le risque est malheureusement d'affaiblir l'éducation et l'autorité des parents.

Les outils de PsychoEnfants

■ Le petit coursier

Lorsque les enfants sont confiés aux grands-parents, ceux-ci ont parfois du mal à se faire respecter et à imposer leur autorité. Mais il est possible de faire en sorte que les enfants écoutent, lors d'une sortie au supermarché par exemple. Avant de partir, préparez deux listes de courses et confiez-en une aux enfants. Une fois dans le magasin, expliquez-leur que vous avez votre liste, qu'ils ont la leur et que le but est que chacun arrive à mettre tous les ingrédients inscrits sur la liste dans le chariot. Vérifiez les éléments qu'ils vous proposent et validez-les avant de les glisser dans le chariot. Les enfants auront alors le sentiment d'être des grands, à qui l'on confie des responsabilités, des tâches importantes. Les sorties se passeront alors sans encombre.

■ Face à soi-même

Lorsque l'enfant débute une crise, qu'il se met à pleurer ou à hurler, ses parents ou grands-parents peuvent le prendre par la main et le mettre devant un miroir. Demandez-lui de se regarder et de voir comment il est quand il se comporte ainsi. Il sera confronté à sa propre image d'enfant colérique.

■ C'est moi l'arbitre !

Si votre enfant est fan de football, mettez en place des systèmes d'avertissement qui lui sont familiers. Préparez ainsi des cartons (jaunes et rouges) que vous brandirez à chacune de ses bêtises. Notez-les ensuite sur une feuille, bien en évidence (sur le réfrigérateur par exemple). Ainsi, au bout de deux cartons jaunes, l'enfant en obtient un rouge automatiquement, et au bout de trois cartons rouges, il sera privé de quelque chose qu'il aime bien (son DVD fétiche, la sortie au parc du dimanche). Des cartons rouges peuvent également être mis directement, en fonction de la « gravité » de la bêtise.

■ Le remonte-temps

■ Le cadran

Pour montrer à votre enfant que vous le comprenez bien, il peut être utile de lui parler de vos propres expériences, lorsque vous aviez son âge. Vous pouvez par exemple lui exposer les règles que vous deviez respecter : «Quand j'étais petit, papy et mamie voulaient que je range ma chambre avant d'aller dormir. Au début je ne voulais pas et ils m'ont expliqué que quand je faisais ça, je retrouvais plus facilement mes jouets, tous rangés à leur place, le lendemain matin quand je me réveillais.» Votre enfant aura alors tendance à mieux accepter la frustration dans la mesure où vous l'avez vécue également et que vous avez réussi à la surmonter. N'hésitez pas à «jouer la comédie» et à en faire beaucoup (montrez-lui comment vous pleuriez, par exemple). Un enfant qui rit est toujours plus apte à écouter qu'un enfant qui est en colère.

Les habitudes sont bénéfiques pour l'enfant car il aura tendance à mieux accepter les règles qui auront été dictées si celles-ci restent les mêmes et ne changent pas régulièrement. Ainsi, vous pouvez créer avec lui un cadran horaire des règles domestiques. Dessinez à l'endroit adéquat le moment où vous rentrez à la maison. Puis indiquez une période (d'un quart d'heure, par exemple) pendant laquelle il pourra jouer. Ensuite, dessinez des cahiers à l'heure où il doit commencer ses devoirs. Et ainsi de suite pour le bain, le dîner, le lavage des dents, le pipi, la petite histoire et le coucher... Faites-en plusieurs exemplaires et collez-les à côté d'horloges, chez vous, mais aussi chez ses grands-parents. Ainsi, le petit, qui se repérera grâce aux aiguilles s'il ne sait pas lire, saura que les règles sont les mêmes partout où il va.

Partager l'autorité au sein du couple

Chapitre 13

« Depuis quelque temps, mon mari et moi traversons une mauvaise passe. Nous nous disputons sans arrêt au sujet de l'éducation de notre fils Maxime, 6 ans. Je considère que mon époux est beaucoup trop laxiste et qu'il ne sait pas sévir. Selon moi, il n'impose pas suffisamment de limites à notre fils qui n'en fait qu'à sa guise. Je suis alors obligée de crier pour deux. Et Maxime a bien compris la technique. Maintenant, dès qu'il a quelque chose à demander ou à se faire pardonner, il se dirige automatiquement vers son père. Comment faire pour que mon mari s'implique davantage dans l'éducation de Maxime ? »

Lorsque l'un des parents est un peu plus permissif que l'autre, un peu moins sévère, le second ne doit pas chercher à compenser un manque ou un trop-plein. Il faut en parler à deux : « Qu'est-ce qui fait que tu n'arrives pas à appliquer certaines règles que nous avons décidées ? Est-ce que cela te rappelle un souvenir douloureux de ton enfance ? » Les parents doivent rester unis dans l'éducation de leur enfant. Et il vaut mieux avoir peu de règles communes mais que celles-ci soient des règles solides. Il ne faut pas se dire : « Mon conjoint est un peu cool, alors je vais reprendre les rênes derrière pour combler », parce que l'enfant a un point de vue très manichéen. Pour lui, il y aura toujours le gentil (le parent permissif) et le méchant (celui qui crie tout le temps).

■ Être toujours cohérent

En termes d'autorité, il n'existera bien évidemment jamais d'harmonie parfaite entre les parents en raison de leur tempérament différent. L'un aura un ton plus ferme, l'autre un regard plus sévère. Mais s'il est un domaine où l'autorité doit être parfaitement identique c'est celui de la cohérence. Les parents doivent ainsi avoir des obligations identiques ; et si l'enfant n'obéit pas, ses parents doivent également faire appliquer les mêmes sanctions. En somme, ils doivent se mettre d'accord pour faire appliquer le même code familial. C'est un ensemble d'exigences qui définissent et rythment la vie de la famille, auxquelles il est nécessaire de s'attacher. Et ce système de récompenses, ou de sanctions au cas où cela ne fonctionnerait pas, doit être défini entre parents pour doser ensemble si leur réponse est « suffisante » ou non.

Bien sûr, il y aura des écarts, des moments de faiblesse, mais ce n'est pas grave si les parents en parlent et se mettent d'accord. L'idée n'est pas d'être à 100 % parfaits et irréprochables, mais ils doivent s'entendre et éviter que l'un d'eux ne défende systématiquement l'enfant. Arrivera forcément un moment où il y aura une faille, où ils n'auront pas envie de faire appliquer la sanction, et c'est normal, mais il est indispensable qu'ils en parlent.

Il ne faut ainsi pas hésiter à se dire entre conjoints : « Je ne suis pas d'accord avec la façon dont tu as laissé passer ceci », « On avait dit qu'on ne tolérerait pas cela », « Tu as été trop sévère selon moi ». Il faut éviter l'incohérence éducative. Rien de dramatique si un jour les parents n'ont pas été bons, ils seront meilleurs le lendemain. C'est véritablement une histoire de cohérence. Je ne dis pas qu'il faut fixer des règles, écrites noir sur blanc, et s'y tenir à la lettre. Non, ce n'est pas cela, le parent vit avec l'enfant, fait des choses positives avec lui, et au cas où il y aurait de petites transgressions, les parents doivent pouvoir se parler entre conjoints et se dire ce qui leur déplaît ou ce qu'ils aimeraient redéfinir ensemble. Il ne s'agit pas d'organiser une réunion hebdomadaire pour faire le point, mais cette discussion doit être présente au sein du couple. Il y a ainsi des thèmes à définir, comme l'aide à la maison, le respect, l'hygiène, l'utilisation d'Internet. Les parents ont souvent du mal à communiquer entre eux sur l'éducation alors qu'ils ont parfaitement conscience du problème ; mais ils n'en parlent pas, ils préfèrent ne rien voir, appliquant le principe du « On n'en parle pas, donc il n'y a pas de souci ».

La phase d'opposition

À partir du moment où l'enfant commence à parler, l'un des premiers mots qu'il va prononcer sera : «Non!» Et dès l'instant où il sait dire non, il influe sur l'environnement : «Tu veux jouer? Non!»; «Est-ce que tu veux manger? Non!» Il y a donc tout un jeu qui se fait pour lui. Il est normal que l'enfant tâte l'environnement pour voir quelle va être la réponse puisqu'il découvre l'outil formidable qui est le langage. Avec le langage, il peut enfin décider de ce que fera son environnement ou pas. Et c'est là que les parents doivent être vigilants et se soutenir. Il ne s'agit pas que le père dise «Il ne veut pas, c'est qu'il exprime ses envies donc on ne va pas le forcer», et que la mère dise le contraire : «Tu n'as pas à dire non, c'est nous qui choisissons pour toi, que cela te plaise ou pas.» Il faut trouver un compromis parce que, dans cet exemple, si c'est la mère qui réussit à avoir le dernier mot, l'enfant se dira qu'il pourra obtenir de son père ce qu'il veut, quand il le voudra. Il est ainsi parfois nécessaire d'accepter le non de l'enfant mais de le confronter, c'est-à-dire : «Oui, tu peux toujours dire non, mais parfois, même lorsque tu diras non, ce sera le oui du parent qui l'emportera. Ce n'est pas une guerre entre les deux, tu peux exprimer des choses pour le moment, mais tu ne peux pas dominer le réel parce que tu as dit non.»

■ Un soutien inconditionnel

Un parent ne doit jamais remettre en cause la parole de son conjoint en présence de l'enfant. Les parents peuvent être faillibles, mais ils ne doivent surtout pas se contredire devant lui. Mieux vaut laisser faire l'autre et, ensuite, en l'absence de l'enfant, en reparler : « Non, je ne suis pas d'accord, tu as été trop loin pour qu'il goûte les épinards, j'ai connu ça quand j'étais enfant, c'est de la torture. Tu n'as pas vu comme il a changé de couleur ? Il faut qu'on en reparle. Sur la découverte des aliments, il va falloir établir des règles un peu plus légères. » Il y aura toujours ce petit type d'incidents, mais ceux-ci ne doivent pas se produire devant l'enfant. En effet, l'enfant voit que la parole de l'un des parents n'est pas appuyée par l'autre, et cela est bien le signe pour lui que la loi est mauvaise. Par extension, l'enfant comprend que l'autorité est injuste et il va se mettre en complicité immédiate avec le « gentil » qui, lui, est d'accord avec la transgression. L'enfant ne fait pas dans la subtilité, il remarque avant tout ce qui est bon pour lui et ce qui ne l'est pas, c'est-à-dire là où il peut trouver le plus de satisfaction.

Le parent laisse donc faire son conjoint, et, une fois que l'enfant n'est plus là, les deux parents s'expliquent. Ce n'est pas grave que cela se soit passé de la sorte, si c'est réajusté après. La mère peut ainsi dire à son enfant : « Tout à l'heure papa t'a dit cela, et on en a parlé. » Et le père d'ajouter : « Oui, maman a raison, la prochaine fois, on fera plutôt comme cela… »

Généralement, lorsqu'il y a des conflits de ce genre, c'est parce que l'un des deux parents attend un signe d'autorité de l'autre, un signe qui n'arrive pas. Et souvent énormément de femmes sont « au front », c'est-à-dire qu'en dehors de leur travail, elles s'occupent beaucoup des enfants et les pères, eux, sont dans le cliché du gentil « animateur de club de vacances ». Tandis que les mamans demandent chaque jour à leur enfant de ranger, de finir son assiette, de faire ses devoirs, les hommes sont plus présents le week-end pour les sorties à vélo, les jeux vidéo, les promenades en rollers. Dès lors, les femmes entrent en conflits ouverts avec leur mari, et cela devant l'enfant qui devient le bouc émissaire de leur désaccord de couple.

■ Habiter sa parole

L'essentiel est donc de trouver une sorte d'équilibre entre les méthodes éducatives des deux parents. Si la maman veut passer vingt minutes avec son enfant au moment du coucher, alors que les histoires du papa durent à peine trente secondes, il faut qu'elle le dise, et faire un petit compromis : celui qui lit des histoires trop longues les raccourcit un petit peu et celui qui lit des histoires trop courtes les rallonge. Il ne serait en effet pas juste que l'un des deux parents se calque exactement sur les habitudes de l'autre, alors il faut trouver un heureux équilibre. De même, si l'un des parents n'est pas du tout sportif et n'aime pas bouger, il va malgré tout falloir qu'il se force un peu à faire des choses, car ce n'est pas à l'autre de faire 40 km de vélo le dimanche pour entraîner l'enfant. Cela ne veut pas dire qu'il faut que les parents soient exactement pareils, mais une fois encore, quand il y a de grosses incohérences, il faut essayer de faire un effort pour trouver un compromis parce que l'enfant a besoin de règles claires, visibles et habitées par ses parents.

Il faut sans cesse que les actes des parents soient en harmonie avec leurs discours. S'ils disent à leur enfant qu'il doit manger cinq fruits et légumes par jour pour être en forme et que le papa ne mange jamais aucun fruit parce qu'il n'aime pas cela, ce n'est pas très crédible. L'enfant apprend en observant ce qui se passe autour de lui, et ses premiers modèles sont ses parents. Les règles ne seront que mieux transmises dès lors que les parents montreront l'exemple. Cela ne veut pas dire pour autant qu'il faut être un saint ou quelqu'un d'infaillible ; chacun a ses petites failles, c'est normal. Mais il ne faut pas tenter de donner des leçons de morale que le parent ne respecte pas lui-même. C'est comme si un parent, une cigarette à la main, disait à son enfant : « Il ne faut pas fumer ! » C'est absurde. Et l'enfant assiste souvent à ce genre d'aberrations toute la journée. Pas facile pour lui, dans ce cas, d'accepter toutes les règles sans sourciller.

Les outils de PsychoEnfants

■ Apprenez à vous remettre en cause

▪ Vous devez être capables d'observer les changements dans le comportement de votre enfant mais aussi prendre conscience de vos propres changements en tant que parents.

▪ Vous devez progressivement arrêter les stratégies «récompenses – sanctions» pour créer des habitudes que votre enfant intègre sans les influences adultes.

▪ Faites régulièrement le point sur les progrès acquis et ce qui reste à changer dans le comportement de votre enfant, n'attendez pas ses futures transgressions ou maladresses.

■ Le tableau à cocher

Afin de responsabiliser votre enfant et de lui donner certains automatismes, vous pouvez mettre en place un tableau que votre enfant cochera en fonction de ce qu'il aura fait ou non. Le tableau peut se présenter de la manière suivante.

Tâches/Jours	Lundi	Mardi	Mercredi	Jeudi	Vendredi	Samedi	Dimanche
Je me suis lavé les dents.							
Je n'ai pas fait de comédie en allant me coucher.							
J'ai goûté les aliments que je ne connaissais pas à table.							
Je me suis habillé tout seul.							
J'ai aidé à mettre la table.							
J'ai prêté mes jouets à ma petite sœur.							

À vous de remplir la case des tâches en fonction de vos exigences!

■ La bombe à retardement

Si votre enfant met du temps à faire ce que vous lui demandez, expliquez-lui que vous faites la bombe et qu'il doit avoir fini avant que celle-ci n'explose. Ainsi, dites-lui qu'il doit avoir fini de laver ses dents avant que vous n'ayez fait «Boum!». Commencez alors par faire un tic-tac régulier, puis accélérez le débit de paroles. Vous aurez au préalable convenu d'un «signe» pour désactiver la bombe une fois la tâche terminée (un bisou fait par l'enfant sur votre joue par exemple). Votre enfant tentera alors de faire au plus vite et toutes les «corvées» ou les moments qui habituellement vous semblaient interminables se dérouleront beaucoup plus vite et de façon plus agréable.

■ Les rendez-vous

Parfois, vous avez l'impression que vous passez vos journées à reprendre votre enfant, hausser le ton pour vous faire obéir, répéter cent fois les mêmes choses... Quand vous avez le sentiment d'avoir trop crié et pour éviter de trop culpabiliser, organisez des rendez-vous en tête-à-tête avec votre enfant. Lorsqu'il a fait ce que vous lui demandiez, qu'il s'est bien comporté, récompensez son effort en l'invitant à passer un moment privilégié à vos côtés. Celui-ci sera choisi par vous deux et pourra être une sortie au parc, au cinéma ou au fast-food qu'il aime. Cette conséquence positive lui montrera que vous faites attention aux efforts qu'il peut faire.

■ La gestion

Généralement, à la naissance d'un enfant, les frères et sœurs ont souvent tendance à se sentir délaissés. Et pour tenter de combler ce manque d'attention, ils vont alors vous solliciter sans arrêt, en particulier à certains moments où vous aurez besoin de vous occuper du petit dernier.

Pour éviter de vous emporter et de crier (d'énervement et de fatigue), essayez de prévoir les moments où il vous sera indispensable de rester avec votre nouveau-né et occupez le plus grand en lui faisant faire un jeu ou une activité (puzzle, peinture, pâte à modeler...) devant vous. Ainsi, il ne se sentira plus mis de côté et vous pourrez vous occuper du plus jeune tout en discutant calmement avec le plus grand.

Faut-il répondre à un enfant qui répond?

Chapitre 14

> *« Mon fils n'a que 6 ans mais il a pourtant pris la mauvaise habi-tude de me répondre. Lorsque je lui fais un reproche ou que je le dis-pute, il me regarde méchamment et me répond. J'ai l'impression qu'il ne me respecte pas. Que dois-je faire ? Plus le punir ? Il ne m'écoute pas lorsque je lui dis qu'il ne doit pas me parler ainsi. »*

Chaque enfant a le droit de réponse… cela fait partie du jeu de l'éducation. Mais les parents doivent veiller à ce que ce droit de réponse ne vire pas à l'insulte ni à la provocation nonchalante qui, dans ce cas, risque de générer des blessures psychologiques chez l'enfant et des réactions violentes, synonymes de malaise et de mal-être.

■ Le « droit de réponse » de l'enfant

Un enfant a tout à fait le droit de répondre à ses parents, il a le droit d'argumenter. Il peut dire par exemple qu'il n'est pas fatigué lorsque ses parents l'envoient au lit. Les parents ne doivent pas sanctionner une argumentation. L'enfant est en train de s'exprimer, de donner son point de vue et de faire part de ses opinions personnelles. Mais c'est là qu'il faut faire attention. L'enfant va constamment argumenter, tout simple-ment parce qu'il n'a pas envie de céder aux exigences du prin-cipe de réalité. Il va tout le temps chercher à convaincre son parent, le détourner de son idée première. Et plus il grandit, plus il va avoir des arguments, plus il va plaider. Lorsqu'il est tout petit, vers 4 ans, il ne faut pas entrer dans des plaidoiries interminables pour réussir à avoir le dernier mot avec son enfant. Mais certains parents passent des heures à expliquer à leur enfant, à justifier leur volonté qu'il aille se coucher. C'est le piège à éviter. La règle a déjà été expliquée, il ne faut plus y revenir.

Bien évidemment, ce temps de parole, ce temps d'explications va augmenter avec l'âge de l'enfant, puisqu'on ne s'y prend pas de la même manière pour expliquer une règle à un enfant de 6 ans ou à un autre de 13. Mais généralement les parents font l'inverse. Ils se sont montrés très explicatifs durant la petite enfance, et une fois leur enfant adolescent, ils interdisent sans justifier leur décision : « Non, tu ne sors pas parce que c'est comme ça, un point c'est tout ! » Or l'adolescence est véritablement une période où un dialogue est indispensable, des deux côtés.

Mais quoi qu'il en soit, le dernier mot doit revenir au parent. Un enfant peut donner son opinion, il peut expliquer ce qu'il préfère, mais le parent ne doit pas systématiquement se plier à chacune de ses demandes. L'adulte doit détenir l'autorité, doit être celui qui décide, et s'il a décidé que la réponse serait non, ce sera non, que cela plaise ou non à son enfant. Cela ne signifie pas que « tout est joué d'avance » et que, quoi qu'il arrive, l'enfant aura beau argumenter, il aura toujours tort ; non, mais lorsque l'adulte prend une décision, il estime que c'est la bonne pour son enfant et que ce dernier doit donc la respecter. Encore une fois, l'enfant agit selon son principe de plaisir immédiat, mais le parent est mieux placé pour décider puisqu'il a plus d'expérience de vie et qu'il est plus apte à savoir ce qui est bon pour son enfant et ce qui l'est moins.

■ Le lien humain numéro un : le respect

L'insulte n'est en aucun cas tolérable ! Quel que soit son âge, un enfant n'a pas le droit de traiter l'un de ses parents de « débile », « con », « enfoiré » ou autres gros mots. Peu importe qui sont les parents, quels sont leurs défauts, leur statut, leurs failles, ce sont ceux qui nourrissent l'enfant, qui ont tout fait pour que tout se passe bien, qui travaillent pour leur enfant, qui lui donnent de l'amour. J'entends des parents me dire « Oui, il est grossier, mais c'est un adolescent, c'est normal, il fait sa petite révolte ». Non, ce n'est pas normal ! Si le jeune se comporte ainsi, c'est qu'il y a eu un « raté » éducatif en amont, que les parents ont laissé passer des comportements insolents et que leur ado a pris toutes les libertés et est devenu un adolescent roi qui détient le pouvoir.

Mais les insultes ne sont pas réservées à l'adolescence, elles surviennent également dans la petite enfance, vers 2 ans ou 3 ans. Il existe ainsi des enfants grossiers, insultants, parce qu'ils ont pris l'habitude de « chosifier » les adultes en général, qu'ils traitent comme des animaux, comme s'ils n'existaient pas, qu'ils n'étaient pas respectables. Dans ce cas, les sanctions parentales se doivent d'être sévères. Il s'agit bel et bien d'une forme de violence, certes verbale, mais qui doit être sanctionnée très fermement. Si tel n'est pas le cas, l'étape suivante est généralement la violence physique.

Lorsque le parent est insulté, il doit aussitôt pratiquer le retrait de la vie collective : l'enfant doit tout de suite être envoyé dans sa chambre. Il ne doit plus y avoir de relationnel, il faut immédiatement couper la communication. Les parents doivent alors réfléchir à ce que le jeune va devoir faire pour réparer son erreur. Car il est nécessaire qu'il y ait réparation, un geste symbolique pour la famille. C'est lui qui va éplucher les pommes de terre par exemple, ou qui va aller nettoyer la voiture dimanche pour son père... La sanction n'est pas qu'une histoire de « flingage », de « destruction ». Non, on ne punit pas mais on marque le coup. On montre qu'il a dépassé les limites, qu'il est absolument impensable qu'il recommence, que c'est interdit. Il faut que l'enfant prenne conscience de son erreur.

Gros mots et insultes : ne rien laisser passer

Un gros mot n'est jamais plus ou moins grave qu'un autre. Une insulte reste une attaque verbale. Ainsi, il est primordial de ne jamais laisser passer le moindre débordement, qu'il soit physique ou oral. Si votre enfant se permet de vous agresser, il faut automatiquement le reprendre et le punir en l'excluant immédiatement. Un tel manque de respect n'est pas tolérable. Mais attention toutefois à ne pas blâmer que lui. La plupart des gros mots que les jeunes répètent sont ceux qu'ils ont entendus dans leur environnement proche (école ou famille). Surveillez donc également votre langage.

■ Gare aux « phrases toxiques »

Les parents peuvent montrer à leur enfant leur désaccord, lui expliquer qu'ils ne sont pas contents, mais il y a cependant des choses à éviter, à ne pas dire. On désigne par le terme de « phrases toxiques » les petites réflexions que les parents utilisent parfois lorsqu'ils s'adressent à leur enfant. Le plus dangereux est qu'ils peuvent parfois les prononcer sans même se rendre compte de la « gravité » de la phrase en question. Comme nous l'avons vu, il ne faut pas faire l'amalgame entre la personnalité de l'enfant et son comportement. Si l'on voulait schématiser, on pourrait dire qu'il s'agit de toutes les phrases « négatives » contenant le verbe être : « Tu es idiot », « Tu es malhonnête », « Tu es désobéissant », « Tu n'es pas gentil », toutes ces phrases sont à bannir. Elles atteignent l'estime de soi de l'enfant parce qu'elles s'attaquent à sa personnalité. Lorsque les parents sanctionnent ou critiquent, ils doivent parler du comportement : « Quand tu fais ça à ta sœur elle pleure, elle n'est pas contente », « Quand tu partages un jouet avec ton copain, il est satisfait », « Quand tu vas te coucher sans faire d'histoires, nous sommes très heureux ». En employant le verbe être, les parents fixent l'enfant en rejet, en contre-agressivité. C'est donc toujours le comportement qui doit être évalué et non le jeune lui-même. Ce dernier doit pouvoir comprendre que même s'il a fait une bêtise et que ses parents ne sont pas contents, il pourra se rattraper le lendemain. Dès lors qu'il entend que c'est son comportement qui est critiqué, il sait qu'il peut le modifier, qu'il peut le changer et travailler dessus. À partir du moment où les parents commencent à stigmatiser leur enfant, à lui faire des reproches sur sa personnalité, cela reste ancré en lui, comme s'il ne pouvait pas se détacher de cette image qu'ils lui ont donnée. Ces paroles toxiques, c'est tout ce qui pose une étiquette à l'enfant, tout ce qui va le « labelliser ».

Il faut faire attention également aux phrases du type « Si tu ne m'obéis pas je ne t'aime plus ». Ces phrases sont toxiques parce qu'il s'agit de chantage affectif, or il ne faut pas mettre l'affection au niveau de l'obéissance. Mieux vaut donc dire : « Si tu n'obéis pas, tu sais ce qui va arriver, tu n'auras pas le droit de regarder la petite vidéo que tu aimes bien. » Point. On doit parler de comportements et de réponses comportementales. Mais il ne faut pas mettre en jeu l'amour, c'est absurde. Encore une fois, ce n'est pas parce qu'on a eu un dérapage verbal que l'enfant va être brisé à vie. Mais il est vrai que s'il entend tous les jours des signes de rejet verbal comme « Tu es idiot », « Tu es maladroit », « Pourquoi tu n'es pas comme les autres enfants », cela peut devenir, à long terme aussi toxique que des coups. Il y a des enfants qui, toute leur vie, vont garder cette idée, cette dévalorisation, dans leur tête.

Les phrases toxiques les plus «dangereuses»

Il ne faut pas dire...	Pourquoi ?	Mieux vaut dire...
« Tu n'as pas été gentil ce soir, je ne t'aime plus. »	Distinguez l'acte du sentiment. L'amour n'a rien à voir là-dedans.	« Je n'ai pas aimé la manière dont tu t'es comporté ce soir. »
« Tu as fait une grosse bêtise. Tu es vraiment idiot ! »	Ne bridez pas sa confiance en lui.	« Ce que tu as fait est mal. Je ne suis pas content. »
« Heureusement que ton frère est sage, lui ! »	Ne faites pas de comparaisons entre frères et sœurs. Chaque enfant est unique.	—
« Vu comment tu travailles à l'école, tu peux être sûr que tu ne réussiras jamais rien dans la vie. »	Ne sous-estimez pas les capacités de votre enfant. Au contraire, encouragez-le.	« Je sais que l'école n'est pas facile mais si tu te concentres un petit peu, tu verras que tu y arriveras mieux. Et je suis là pour t'aider si tu as besoin. »
« J'aurais préféré avoir une fille, j'aurais eu moins de soucis. »	Ne dites jamais à l'enfant qu'il n'est pas à sa place.	—
« Tu n'écoutes rien... Mais qu'est-ce que j'ai fait pour avoir un enfant comme ça. »	Évitez de projeter vos erreurs ou vos difficultés personnelles sur votre enfant.	« Ce n'est pas le moment. Je suis fatigué, nous en reparlerons plus tard. »

Les outils de PsychoEnfants

■ Pas de mimétisme

Si votre enfant vous répond en criant pour exprimer un mécontentement (sans insulter), vous pourriez être tenté de lui répondre de la même manière, en haussant la voix. Il ne faut pas entrer dans ce jeu-là. À partir du moment où vous faites la même chose, vous vous situez dans la même immaturité. La discussion devient sauvage, c'est-à-dire «tu cries/je crie», «tu me bats/je te bats». Vous devez donc au contraire rester très calme, ne pas changer de ton, pour bien faire saisir à votre enfant que vous ne comprenez pas pourquoi il s'énerve.

■ Le minuteur

Lorsque votre enfant dépasse les limites, isolez-le, coupez-le de tout lien social en l'envoyant par exemple dans sa chambre. Vous pouvez lui dire de réfléchir à ce qu'il vient de faire ou de dire en lui précisant qu'il n'a pas le droit de quitter le lieu dans

lequel on vient de le placer avant que vous, adulte, veniez le chercher. Parfois, les enfants tentent le tout pour le tout en sortant d'eux-mêmes, en s'excusant et en demandant s'ils peuvent revenir. Vous ne devez alors pas céder et bien expliquer à votre enfant que le temps imparti n'est pas suffisant selon vous. Vous pouvez même mettre en route un minuteur et dire à votre enfant que vous viendrez voir où il en est seulement quand le minuteur aura sonné. Vous constaterez alors s'il s'est effectivement calmé ou non. Si c'est le cas, autorisez-le à revenir parmi les adultes, sinon, il restera dans sa chambre pendant un autre tour de minuteur.

■ Demandez de l'aide

Si vous êtes réellement dépassé et que vous sentez que vous n'y arrivez plus, plutôt que de perdre le peu d'énergie qu'il vous reste à crier sur vos enfants, relayez la tâche. Vous pouvez organiser un planning avec les occupations du père et de la mère au sein de la famille et vous répartir ainsi les tâches. Si jamais vous ne tombez pas d'accord, il vous est toujours possible de faire appel à un tiers (que vous aurez choisi préalablement) qui viendra expliquer à votre enfant que son comportement n'est pas correct et que ses parents sont fatigués à force de le reprendre sans arrêt.

▪ La caresse

Certains enfants, vers 3 ans, font de grands gestes pour s'exprimer et ne contrôlent pas encore bien tous leurs gestes. Ils ne les maîtrisent pas. Ainsi, si votre enfant vient à vous taper, attrapez sa main au vol et dites-lui : « Non, il ne faut pas taper ! » Gardez alors sa main dans la vôtre et ensemble passez-la sur votre joue pour lui montrer que la main peut aussi (et surtout) servir à faire une caresse. À force de répétition, il finira par assimiler ce geste et comprendra qu'il ne doit plus frapper.

▪ La tirelire à gros mots

Tous les mois, offrez 15 « bons-points » à votre enfant, sous forme de petites pièces de papier que vous aurez préalablement découpées avec lui. Convenez avec lui qu'à la fin de chaque trimestre, 40 bons-points accumulés lui permettront de s'acheter un petit livre. Expliquez-lui qu'à chaque fois qu'il dira un gros mot ou qu'il manquera de respect à un adulte, il devra verser une somme de bons-points que vous aurez déterminée ensemble au préalable dans la « tirelire à gros mots ». Plus il dira de gros mots, moins il aura de chances de pouvoir s'acheter son livre. Vous verrez que rapidement, à force de perdre quelques bons-points par-ci par-là à chaque fois, votre enfant adoptera un comportement beaucoup plus poli et respectueux à votre égard.

Attention aux cinq « s » !

- Pas de surstimulation : votre enfant doit avoir des temps de repos, de « rien », de pause.
- Pas de surconsommation : évitez la suralimentation *via* les grignotages ; éviter que votre enfant soit en permanence dans une attitude passive (trop de télévision, vidéos). Il doit être acteur et bouger son corps !
- Pas de surprotection : votre enfant doit se confronter aux aléas de la vie, même si c'est déplaisant. Lui éviter les échecs ou les frustrations l'enferme dans son principe de plaisir.
- Pas de survalorisation : donnez-lui de la confiance en soi, certes, tout en lui apprenant la réalité de ses forces et des points à améliorer, ainsi que la réalité des autres.
- Pas de surcommunication : parlez, expliquez sans toujours privilégier la parole aux actes !

Pour conclure

Pour bien grandir, se construire et s'épanouir, un enfant a besoin d'amour. Mais il a également besoin de règles, de limites, de frustrations. Il ne s'agit en aucun cas d'être dans l'extrême, c'est-à-dire de refuser de le punir pour éviter qu'il se sente mal aimé ou au contraire de le brimer et le contraindre systématiquement à faire ce dont il n'a pas envie. Non, c'est un savant mélange de signes d'affection, d'encouragements, de félicitations, mais aussi d'interdits, de refus, de règles fixes. Car la vie du tout-petit est faite d'apprentissages, de la réalité et de découvertes du monde extérieur. Très tôt, l'enfant doit apprendre que la réalité ne s'accordera jamais totalement ni à lui ni à ses envies. Je ne dis pas qu'il faut annoncer à l'enfant : « Prépare-toi, parce que ta vie va être terrible », mais c'est le rôle des parents de le préparer à cette réalité qui ne sera pas toujours rose. Cela va passer par l'éducation et, par extension, par l'autorité parentale. L'adulte exerce une autorité « légitime » sur le petit dont il va user pour se faire respecter et instaurer les règles qui dicteront sa vie d'enfant et sa vie future.

Certains moments seront plus difficiles que d'autres, l'enfant testera les limites que lui imposeront ses parents, tentant sans cesse de les repousser un peu plus. Face à cela, les parents devront rester calmes, ne pas s'énerver et surtout ne pas se laisser déborder par leurs émotions. Car il ne sert à rien de crier sur un enfant, et il serait utopique de croire que parce que l'adulte a élevé la voix ou a levé la main à un moment donné, l'enfant va de suite assimiler que ce qu'il a fait n'était pas bien et qu'il se comportera différemment la prochaine fois. Non, l'éducation est un parcours de longue haleine, elle s'acquiert tout au long de la vie d'un enfant, à force d'amour, d'autorité, de répétitions, d'apprentissages, de « sanctions » et de récompenses. Toutes ces choses le conduiront peu à peu à l'autonomie et le prépareront à sa vie d'adulte.

Alimentation, hygiène, sommeil, stimulations, l'enfant va s'accommoder au réel avec plus ou moins de facilité mais il devra à terme accepter ces rythmes de vie. Les parents sont des êtres humains qui ont des défauts, qui sont imparfaits. Sous le coup de la fatigue ou de l'énervement, certains feront de petites erreurs, auront des gestes déplacés, des mots plus hauts que d'autres… Difficile de rester calme lorsque son enfant n'en fait qu'à sa tête. Mais si la famille arrive à trouver une harmonie et se conforme aux différentes règles qui dicteront la vie quotidienne, l'éducation des enfants ne sera un souci pour personne.

Bibliographie

■ ALETHA Solter, THOMAS Gordon et MOUTON DI GIOVANNI Simone, *Pleurs et Colères des enfants et des bébés*, Jouvence, 1999.

■ CAMPBELL Ross, *Les enfants en colère*, Orion Canada, 1997.

■ CATHY, *Fini colères et caprices !*, « Les carnets de Super Nanny », Hachette, 2010.

■ DENY Madeleine, *Les colères : conseils et astuces au quotidien*, Nathan, 2009.

■ FILLIOZAT Isabelle, *J'ai tout essayé !*, JC Lattès, 2011.

■ MAREAU Charlotte, *Mon enfant fait des colères*, Studyrama, 2007.

■ MÜLLER Christian et MESSMER Sarah, *Les enfants difficiles : sortir de l'impasse*, Éditions Dangles, 2011.

■ MURPHY Tim, *L'Enfant en colère*, Éditions de l'Homme, 2002.

■ PAROISSIEN Emmanuelle, *Pour faire face à la colère de ses enfants*, Fleurus, 2006.

■ PLEUX Didier, *Exprimer sa colère sans perdre le contrôle*, Odile Jacob, 2006.

■ SAMALIN Nancy, *Conflits parents-enfants. Comment maintenir le dialogue*, Jai lu, 2000.

■ SHAPIRO Lawrence E. *et al.*, *Aidez votre enfant à contrôler sa colère : une méthode simple et agréable pour apprendre à votre enfant la maîtrise de lui-même*, Broquet.

conception
réalisation
mise en page pca

44405 Rezé cedex

Impression & brochage SEPEC
N° d'éditeur : 4397
N° d'imprimeur : N02672171205
Quatrième Tirage 2018
Dépôt légal : décembre 2017
Imprimé en France